중국문명사와전통문화

중국문명사와전통문화

CHINESE CIVILIZATION HISTORY
AND TRADITIONAL CULTURE

대한아시아지역학연구회 지음

CHINESE CIVILIZATION HISTORY AND TRADITIONAL CULTURE

Publication of Korean in 2023

Publication of Coreanica 2023

중국의 문명과 문화를 살펴본다

20세기 아시아는 서구 열강의 식민 지배와 경제적 수탈로 인해 많은 어려움을 겪었다. 그러나 21세기 들어 아시아는 독립 이후 빠른 성장을 통해 서구 열강과 경제 및 문화적으로 어깨를 나란히 하고 있다.

이러한 흐름 속에서 한국은 20세기 고도성장을 통해 선진국에 진입했으며 세계 10위의 경제와 우수한 문화를 자랑하는 강국이 되었다.

아시아의 부상은 아시아지역학의 발전으로 이어졌다.

아시아지역학은 아시아의 특유한 가치와 학문을 연구하는 학문으로, 경영학자들을 중심으로 탄생하고 발전하여 융성 되고 있다.

이러한 흐름 속에서 중국은 아시아의 저력 있는 국가로 주목받고 있다. 중국은 4대 문명으로 불리던 과거 시대부터 현재까지 유구한 문화적 전통과 발전상을 가지고 있다. 이러한 저력은 현재의 중국 발전에도 강하게 드러나고 있다.

본 저서는 중국의 문명과 역사를 조망한다. 중국 문명의 태동부터 현재까지의 발전 과정을 살펴보고, 중국 문화의 융성과 창조성, 그리고 실크로드를 통한 동서 문명의 교류에 대해 다룬다.

중국 문명의 태동은 황하 문명의 형성과 더불어 시작되었다. 황하 문명은 농경과 문자, 정치, 종교 등 다양한 분야에서 발전을 이루었다. 진과 한의 시대에는 중국 문명이 더욱 발전하여 현재 중국의 틀을 형성했다.

중국 문화는 다양한 문명과의 교류를 통해 융성해 왔다. 중국은 주변 국가들과 활발한 교류를 통해 문화를 수용하고 발전시켰다. 이러한 융성은 중국 문화의 창조성을 끌어냈다.

실크로드는 동서 문명의 교류를 촉진한 중요한 통로였다. 실크로드를 통해 중국은 주변 국가들과 다양한 문화를 교류하며 동서 문명의 상호 발전에 기여했으며 이러한 가치는 현재도 의미가 있다.

본 저서를 통해 독자들이 중국의 문명과 역사를 살펴보면서 문명의 변화 양상을 이해하고 이를 통해 한국과 중국의 관계가 더욱 증진되는 것에도 이바지가 되었으면 한다.

아울러 저서의 기획과 발간에 도움을 주신 분들에게도 이 지면을 빌려서 감사의 말씀을 전해드린다.

목 차

제 1 부

중국 관점으로
문명사와 전통문화를 보다

중국과 한국

조선이 건국된 이후 우리나라는 중국과 전통적인 조공 책봉 관계를 형성했다. 이는 다소나마 민족적 자존심에 손상을 입기는 했으나, 동아시아 국제질서에 참여할 수 있는 기회를 얻을 수 있었다.

하지만 개항 이후 조선과 중국 모두 서방 열강의 침략에 효율적으로 대처하지 못하고 근대화도 늦어짐으로써 주권이 침탈당하고 국익이 모두 열강에 의해 침탈당하는 비극적인 제국주의 시기를 거쳤다.

이러한 과정에서 중국은 국공내전을 통해 1949년

중화인민공화국이 수립되면서 완전히 공산화되었다. 한국은 일제의 식민지를 거쳐 해방 이후 남북이 분단되면서 6.25 전쟁이라는 동족상잔의 비극을 겪었다. 중국은 북한을 지원해 주었고, 한국은 미국의 영향과 지원으로 자유주의 세계 국가가 되었다.

그러므로 전통적인 중국과의 관계는 사실상 단절되었고, 자유중국이라 불리던 대만을 통해 소통을 이어갔지만, 그마저도 미약하여 현재의 기성세대는 중국과의 문화적 교류가 거의 없는 세대가 되었다.

그러므로 중국에 대한 이해가 떨어지고 내재적 접근이 이루어지지 않는 상황에서 오로지 서방의 관점으로 중국을 바라보니 오해가 쌓이게 되었다.

이는 양국 간의 소통과 교류에도 심각한 지장을 줄 뿐만 아니라 장기적인 관계에서도 심각한 문제를 일으킬 화근이 된다.

이러한 점에서 서방의 관점이 아닌 중국의 관점에서 중국을 바라보면서 우리가 가진 오해를 완화하고 진정한 소통을 이끌어야 할 필요성이 대두된다.

새로운 시선으로 세계를 바라보자

지난날 한국은 중국과의 관계에 있어서 오랫동안 서방의 시각을 받아들여 왔다. 그 결과, 중국에 대한 이해가 부족하고 오해가 많아져 양국 간의 갈등이 깊어지는 결과를 초래하기도 하였다.

이는 서방 중심적 사고에 의한 것으로 중국에 대한 올바른 이해를 통해 한국의 국익을 증진할 수 있음에도 편견으로 이를 잘하지 못한 것이다.

현재의 한국은 지난날의 역경을 딛고 일어서서 세계 10위의 선진국으로 도약하였다. 비록 완벽하다고

할 수는 없지만, 다른 국가들에 비해 상당히 우수한 부분이 많은 국가이다.

그러나 한국 사람들의 사고 속에서 서방의 영향력은 지대하다. 그로 인해 비서방 국가들과 문명에 대해서 일부 곡해하거나 오해하는 경향이 있다.

이러한 경향은 위에서 언급한 것처럼 중국과의 교류뿐만 아니라 한국과 비서방 국가가 소통하고 교류하는 데 있어 결코 긍정적인 영향력을 줄 수 없으며, 우리에게도 직접 및 간접적으로 피해를 줄 수 있다.

이러한 경향을 극복하기 위해서는 서방 중심적 문명관에서 벗어나 다극적인 문명관을 가져야 한다. 다극적인 문명관은 모든 문명을 동등하게 바라보고 이해하려는 태도이다. 이러한 태도는 한국과 비서방 국가가 서로를 이해하고 소통하는 데 있어서 필수적이다.

특히 한국 사회가 다문화로 접어드는 와중에 다

원적 사고를 갖추게 된다면, 우리가 진정으로 잠재된 힘을 끌어내어 우리가 모두 한 단계 성장하는 힘이 될 것이다.

사람의 기원과 발전

표준국어대사전에서 사람을 찾아보면 '생각을 하고 언어를 사용하며, 도구를 만들어 쓰고 사회를 이루어 사는 동물'로 정의한다.

이처럼 사람은 문명을 이루며 진보하는 존재다. 그들은 자연을 변형하고, 온갖 짐승을 거느린다. 하지만 사람은 맹수처럼 날카로운 이빨이나 발톱도 없고 힘도 떨어진다.

그렇지만 세상을 지배하는 위업을 달성할 수 있었던 것은 사람이 다른 모든 짐승보다 지능에 온 힘을 다한 존재이기 때문이다.

사람이 최초로 출몰한 지역은 아프리카이다. 과학자들은 기원전 200만 년쯤부터 현재의 사람과 유사한 원시인이 등장했다고 본다.

그 존재를 우리는 오스트랄로피테쿠스라고 칭한다. 오스트랄로피테쿠스는 직립보행을 하고 두 손을 자유롭게 사용했다. 사실상 사람이 이동에 사용하는 발이 아닌 독립적인 손을 가지게 된 것이다.

자유로운 두 손을 가진 사람은 이제 거리낌 없이 발전을 이뤄나갔다. 작은 도구를 만들고 불을 발견하여 활용하는 등 사람은 짐승과의 투쟁에서 영구적인 승리를 거두고 이제 그 집단 내부에서 스스로 투쟁한다.

특히 불의 발견은 사람에게 있어서 혁명에 가까운 일이었다. 불은 사람에게 어둠을 몰아내고 밤을 밝혀주었으며, 음식을 조리하고, 추위를 견디게 해주는 등 다양한 용도로 사용되었다.

사람은 점점 지능을 발달시켜 나갔고, 그 결과 다양한 문명을 이루게 되었다. 사람은 자연을 변형하고, 새로운 도구와 기술을 개발하여 문명을 발전시켰다.

사람은 지능을 바탕으로 문명을 이루고 발전해 왔다. 사람의 지능은 사람을 다른 짐승과 구별되는 다른 존재로 만들었다.

사람은 앞으로도 지능을 발달시켜 나갈 것이며, 그 결과 더 발전된 문명을 이루게 될 것이다. 사람은 항상 앞으로 진보하는 존재이며 진보해야 하는 존재이기 때문이다.

현재까지도 이어지는 철기 시대

현재 우리가 살아가고 있는 시대에는 여러 자원이 사용된다. 그중에서 에너지로 사용되는 자원을 제외하고 특정 대상을 만들 수 있는 재료로서의 자원을 생각하면 아마 철이 주요할 것이다.

비록 현시대에 플라스틱도 많이 사용되지만, 철이 사용되는 부문은 셀 수 없을 정도로 많다. 우리가 역사 시간에 배운 철기 시대가 지금까지도 이어지는 셈이다.

역사 속에서 사람이 처음 사용한 것은 돌이다. 고대 유물은 대다수 돌로 만들어져 있다. 이는 돌이 쉽게

구할 수 있고 쉽게 다듬을 수 있다는 장점이 있었기 때문이다.

하지만 돌은 강도가 약하여 쉽게 깨지고 뭉툭해진다. 이는 특히 무기에서 약점을 강하게 드러내므로 다른 재료를 발견해야 하는 필요성이 대두하였다.

석기 다음으로 사람이 사용한 것은 청동이다. 청동은 구리와 주석을 섞은 합금으로 석기보다 훨씬 강한 강도를 가진다. 다만 원재료가 되는 구리와 주석이 몹시 귀하고 그 제련 기술의 상당한 숙련도를 요구하므로 무기나 상류층의 장신구 이외의 일상용품은 계속 석기로 제작했다.

동아시아에서는 고대 동아시아 국가들이 주석을 구하기 위해 대규모 무역을 하기도 하였다. 한편 유럽과 지중해 지역에서는 청동기 교역망을 가지고 있었는데, 기원전 11세기경 바다 민족이라고 불리는 집단에 의해 문명이 완전히 파괴되어 문자까지 끊어지는 암흑

시대를 겪었다고 한다.

현재의 역사가들은 이들을 멸망시킨 바다 민족이 사용하는 무기가 철기로 추정되고 있다. 이 철기는 청동기보다 훨씬 강력하여 바다 민족이 유럽과 지중해 지역의 문명을 멸망시킬 수 있었던 원동력이 되었다.

초창기에는 제련 기술이 낮아서 철기를 만들기 어려웠지만, 제련 기술이 발전하자 청동기보다 훨씬 흔한 철기는 일상의 모든 영역으로 퍼져 나갔다. 이는 현재까지도 철기가 미치는 영향력을 알 수 있다.

특히 중국이 막대한 선철 매장량을 가지고 있음에도 타국의 철광산 개발에 뛰어드는 것을 보면 철의 중요성은 더 말할 필요가 없는 셈이다.

노예가 되기를 원치 않는 자들

고대 지중해를 보면 그 일대 멸망한 문명의 잿더미에서 그리스 도시국가들이 태어났다. 아테네와 스파르타를 중심으로 한 도시국가들은 서로 다른 정치체제와 문화를 가지고 있었지만, 자유를 사랑하는 마음은 하나였다.

아테네는 시민이 중심이 되는 민주주의 국가였다. 시민은 자유롭게 의사를 표현하고, 정치에 참여할 수 있었다. 스파르타는 철인에 의해 다스려지는 군사 국가였다. 남성 시민은 어린 나이부터 전사로 양성되어서 강한 정신력과 전쟁 기술을 연마했다.

두 도시국가는 페르시아 제국의 침략에 맞서 싸웠다. 페르시아 제국은 강력한 군사력을 가지고 있었지만, 그리스 도시국가들은 자유를 위해 굳건히 맞섰다.

아테네는 마라톤 전투에서 페르시아군을 물리치며, 그리스 도시국가들의 자유를 지켜냈다. 스파르타는 테르모필레 전투에서 300명의 전사가 목숨을 바쳐 페르시아군의 진격을 지연시켰다.

그리스 의용군의 투쟁은 자유를 사랑하는 사람들에게 큰 영감을 주었다. 그들의 투쟁은 가장 아름다운 곳에서 반대로 가서 자유를 위해 싸웠기에 최미역행(最美逆行)이라고 칭송받을 가치가 있다.

이는 근대 동아시아에서도 중국의 국공합작 당시 일본제국과 싸웠던 중국인들도 그리스 도시국가들의 투쟁에서 용기를 얻은 것에서 보듯 강한 인상을 주었다.

작은 도시국가들이 거대하고 강력한 제국과 맞서 싸우며 자유를 지켜낸 이야기는, 오늘날에도 우리에게 큰 의미를 준다. 자유는 쉽게 얻어지는 것이 아니라, 끊임없이 투쟁하며 지켜내야 하는 소중한 가치이자 용기 있게 싸운 자만이 얻을 수 있는 달콤한 선물임을 일깨워준다.

제 2 부

중국 문명의 태동과 발전

황하문명과 하나라부터 춘추전국시대까지

중국은 세계 4대 문명 중 하나이자 현재까지도 단일화된 문명권으로 이어지는 황허문명을 꽃피웠던 나라이다. 황하문명은 기원전부터 중국 황하강 일대에서 시작되었다. 대표적인 유적으로 귀갑이 있으며 이 시기에 현재의 한자의 기원인 갑골문자가 탄생하였다.

한편 이러한 황하문명이 발전하면서 부족이 커져 국가가 탄생했다. 현재 역사가들에 따라 의견이 분분하지만 실존했다고 보는 사람도 있는 하나라는 전설 속의 요순시대 이후 순 임금의 신임을 얻어 우 임금이 세웠다고 한다. 하지만 아직 고고학적 증거는 명확하지 않아 구체적인 내용은 미궁에 빠져있다.

우리가 흔히 은나라로 불리는 상나라는 은허 지역에 유적이 발견되면서 그 존재가 증명되었고 특히 현재의 상업의 '상' 자에 영향을 줄 만큼 그 발자취가 상당했다.

이후 반란으로 탄생한 주나라는 중국의 인문주의, 천(天) 사상, 그리고 세계 체제 등의 기틀을 놓았다는 점에서 그 의의가 매우 크다고 평가된다.

하지만 주나라의 질서가 붕괴하자 각지에서 반란이 일어나는 춘추전국시대로 접어든다. 춘추전국시대는 기원전 771년부터 기원전 221년까지 약 500년 동안 지속하였으며, 여러 제후국이 서로 경쟁하며 발전한 시대이다.

춘추전국시대에는 혼란상 속에서 질서를 추구하기 위해 다양한 철학 사상들이 발전하였다. 공자, 맹자, 노자, 장자 등이 대표적인 철학자로, 그들의 사상은 중국의 문화와 정치에 큰 영향을 미쳤다.

춘추전국시대의 마지막에는 진나라가 중국을 통일하였으며, 중국은 중앙집중형 통일 국가로 한 단계 도약하면서 거듭나게 되었다.

진나라와 하나의 중국

춘추전국 시기의 혼란이 극에 달하고 각지의 투쟁이 끊임없이 이어졌지만 '흩어진 것은 반드시 하나가 된다'는 세간의 말처럼 혼란을 종식할 강한 세력이 등장했다.

그 세력의 이름은 '진나라'였다. 당시 중국 북서부에 있던 진나라는 강력한 군사력과 엄정한 규율을 가지고 중국을 통일하였으며 그 나라의 왕이었던 영정은 최초의 황제라는 뜻으로 진시황이라고 불렸다.

그는 통일 이후 강력한 중앙집권국가를 세웠다.

이는 현재의 중화인민공화국과 과거 중국의 모든 국가가 추구하는 강력한 중앙집중적 전통을 세운 것이다. 또한, 귀족들의 권력 기반을 파괴하기 위해 그들을 멀리 떨어진 곳으로 이동했는데 이는 한국과 일본에도 유사한 제도가 생기는 것에 좋은 선례가 되었다.

그리고 통일된 문화를 창조하고 수로와 운하를 건설하며 언어와 도량형을 통일했다. 그리고 현재도 중국의 유명한 유적인 만리장성을 이민족의 침입을 막기 위해 처음 건설에 착수했다. 하지만 과도한 통일성에 집착한 나머지 법가를 제외한 다른 사상을 모두 이단시하여 분서갱유(焚書坑儒)라고 불리는 과도한 사상 및 학문 탄압을 하였고 고된 노역에 백성을 희생시키어 그 불만이 커지도록 하는 화근을 만들었다.

진시황은 영생을 꿈꾸며 불로초를 찾고 수은으로 이루어진 강이 흐른다는 구전이 있는 진시황릉을 지어 그의 권력을 대내외에 과시했다. 이것은 비슷한 시기의 로마제국의 황제들이 행한 권력 과시 이상이며 이집트의 피라미드 건설에 필적하거나 그 이상이라도 평가될 정도이다.

비록 진시황 사후 진은 무너졌지만, 중앙집중화된 중국의 첫 기틀을 세웠다는 점에서 진나라의 의미는 작지 않다고 후대의 역사가들은 평한다.

한나라의 탄생과 한족의 형성

중국인을 민족으로 부르는 명칭인 한족은 한나라에서 그 이름을 따온다. 한나라는 중국 역사상 최초의 통일 국가는 아니었지만, 가장 오랫동안 지속한 국가이자 가장 많은 영토를 차지했던 국가였다. 또한, 유교를 국교로 삼아 중국의 문화와 사상에 큰 영향을 미쳤다.

한나라의 탄생은 진나라의 멸망으로부터 시작된다. 진시황의 폭정으로 민심이 돌아서자, 유방과 항우가 이끄는 두 세력의 대결이 벌어졌다. 이른바 초한전쟁으로 불리는 이 전쟁에서 유방이 승리하면서 한나라가 건국되었다.

유방은 진나라의 폭정을 타파하고 민생을 안정시키기 위해 노력했다. 또한, 유교를 국교로 삼아 중국의 통합과 발전에 이바지했다. 이러한 유방의 정책은 한나라의 안정과 발전에 큰 역할을 했다.

한나라는 유방을 시작으로 200여 년 동안 지속하였다. 이 기간에 한나라는 중국의 경제와 문화를 크게 발전시켰다. 또한, 흉노와의 전쟁에서 승리하면서 중국의 국경을 확장하기도 했다.

한나라의 멸망 이후에도 한족은 중국의 주류 민족으로 자리 잡았다. 이는 한나라가 중국에 남긴 문화와 사상의 영향이 크다. 한나라는 중국 역사에 있어 가장 중요한 국가로 평가된다.

로마에게 영향을 준 한나라

한나라는 최초로 실크로드 동서 무역로를 만들어서 로마와 교류했다. 로마로부터 유리와 산호를 수입하고 비단과 면직물을 수출했다.

한나라와 로마는 광활한 영토를 정복했으며 이민족의 공격에 맞섰다. 그리고 당시 지역의 문화적 및 정치적 중심지였으며 로마의 신화 중 '황금의 시대'와 중국의 신화 중 '요순시대'의 내용이 비슷하는 등 상호간의 깊은 교류와 무역이 있었음을 알 수 있다.

하지만 현재의 로마는 여러 나라로 분열되었고

시민이 성장했지만, 중국은 통일된 채로 현재까지 오면서 로마와 다른 형태의 시민을 만들었다.

근래 서구의 역사가들에 의해 중국을 비롯하여 한나라가 폄하되고 고대 로마의 위상은 일방적으로 높여지지만, 당시 한나라는 로마도 두려워하는 지구상 초강대국이었으며 로마에 미친 경제적, 사상적 영향력은 부정할 수 없는 근거가 존재하는 사실이자 역사이다.

실제로 로마는 한나라를 많은 부문에서 벤치마킹했다. 대표적으로 한나라의 행정 체제와 군사제도를 참고하여 로마의 제국을 더욱 안정적으로 운영하는 것에 좋은 참고가 되었다. 또한, 한나라의 과학 기술과 문화도 로마에 전해져 고대 유럽의 발전에 기여했다.

이처럼 한나라와 로마의 교류는 단순한 경제적 무역을 넘어 두 국가 간의 상호 신의 있는 문화적, 사상적 교류로 발전했다.

이러한 과거의 로마와 한나라의 교류는 고대 세계의 발전에 중요한 역할을 했으며, 오늘날에도 중국과 유럽의 관계에 중대한 기원과 영향을 미치고 있다.

로마와 중국의 문명 충돌과 그 결과

로마 제국은 한때 지중해 세계를 통일한 강대국이었지만, 기독교의 공인과 함께 내부적으로 쇠퇴의 길을 걸었다. 노예제 경제의 한계, 대중영합주의에 빠진 황제들의 무능, 그리고 게르만 이민족의 침입으로 인해 로마는 결국 멸망하고 말았다.

로마의 멸망 이후 유럽은 중세로 접어들면서 종교가 모든 것을 지배하는 농노 사회가 되었다. 십자군 전쟁을 통해 이슬람 세력과 충돌하기도 했지만, 문명의 충돌에 취약한 모습을 보였다.

반면 중국은 한나라 이후에도 여러 이민족 왕조가 들어서며 문명의 충돌을 경험했지만, 특유의 중화사상과 이민족 포용 정책으로 이를 극복해 나갔다. 몽골제국의 침공과 원나라 수립, 만주족의 청나라 건국 등 큰 위기를 맞기도 했지만, 결국 궁극적으로는 승리하는 모습을 보였다.

로마와 중국의 문명 충돌에서 두 나라는 서로 다른 결과를 맞이했다. 로마는 내부적인 문제로 인해 쇠퇴하고 멸망했지만, 중국은 특유의 문화와 정책으로 이를 극복하고 번영을 이어 나갔다.

이러한 결과는 문명 충돌에 대한 중요한 시사점을 준다. 오로지 힘으로만 대항하는 것은 근본적인 해결책이 될 수 없다. 오히려 서로의 문화와 가치를 존중하고 포용함으로써, 문명의 충돌을 극복하고 편협한 관점을 탈피하여 새롭고 창조적인 발전을 이룰 수 있다.

인간의 오만을 깨운 흑사병

흑사병(Black Death)은 14세기 세계를 휩쓴 대유행 전염병으로 7,500만 명 이상의 인구를 사망케 한 것으로 추정될 정도로 현재까지 인류 역사상 가장 큰 피해를 준 전염병이다. 흑사병은 몽골 제국이 유럽을 침공하면서 함께 전파되었는데, 당시 몽골군이 투석기를 통해 감염자를 성안으로 던지기도 했다는 기록이 있다.

공포의 학살자로 불리게 된 흑사병의 창궐로 유럽의 문명은 큰 타격을 입었다. 도시는 황폐해졌고, 경제는 마비되었으며, 사람들은 공포와 슬픔에 빠졌다. 흑사병은 당시 유럽의 지배 이념인 기독교의 권위를 완전히 파괴하고 무너뜨렸다.

한편 동양에서도 당시 1억의 인구를 돌파한 중국이 6천만 명으로 인구가 감소하는 데 큰 영향을 주었으며 고려의 충목왕도 흑사병으로 사망했다는 설이 주류일 정도이다. 또한 실크로드를 완전히 파괴하여 동서간의 교류를 박살 내어 중국과 고려의 경제적 타격을 심각하게 주었다.

흑사병은 사라졌지만, 이후에도 여러 전염병은 전 세계에 주기적으로 유행했다. 19세기에는 콜레라가, 20세기에는 스페인 독감과 에이즈가, 21세기에는 코로나19가 인류에게 큰 고통을 주었다.

오늘날에도 전염병은 중세의 흑사병처럼 인류에게 위협이 되고 있다. 특히 코로나19 팬데믹은 전 세계를 휩쓸며 경제와 사회에 큰 혼란을 일으켰다. 일각에서는 21세기의 흑사병이라고 불릴 정도였다.

인류는 항상 전염병의 위기 속에서 산다. 지금의 코로나19처럼 중세의 흑사병은 인류에게 큰 고통을 주었지만, 몹시 오만했던 생각과 망상이 가져오는 중독의 늪에서 벗어나는 계기가 되었으며 그것을 통해 인류는 한 단계 더 도약할 수 있게 되었다.

한나라부터 원나라까지

한나라는 외척이었던 왕망에 의해 신나라로 바뀌지만, 얼마 지나지 않아 왕망의 무능한 통치로 다시 한나라로 돌아왔다. 후대의 역사가들은 신나라를 기준으로 전한과 후한으로 구분한다.

중국의 재통일을 이룬 한나라이지만 점차 노쇠해지면서 멸망의 길로 갔다. 한나라 멸망 이후부터 중국은 중세가 시작된 것이다.

한나라의 멸망 이후 우리가 흔히 소설 '삼국지연의'와 정사 '삼국지'를 통해 익숙한 위, 촉, 오에 의한

삼국시대가 시작되었다.

위나라에서 탄생한 진(晉)나라가 혼란스러운 삼국시대를 통일하지만, 이민족에 의해 남부(강남)로 밀려나면서 중국의 북부(화북)에는 최초로 이민족에 의한 왕조가 세워졌다. 그리하여 북부에는 이민족 왕조가 이어지고 남부에는 한족 왕조가 이어지는 남북조시대가 이어졌다.

이후 한족 왕조인 수나라에 의해 다시 통일되고 수나라는 멸망하고 이연에 의해서 당나라가 건국되었다가 환관의 전횡에 나라는 부패하고 이민족과 지방 토호들에 의해 분열되면서 중국은 춘추전국시대에 준하는 오대십국시대의 혼란기를 겪게 되었다.

이후 송나라가 등장하며 통일하지만 몽골 제국의 성장으로 인해 남부로 밀려났다가 멸망하면서 몽골은 이민족이 중국 전역을 차지하는 최초의 왕조인 원나라를 세웠다.

이후 원나라가 약해지면서 몽골은 북방 초원으로 밀려났고 다시 한족 왕조인 명나라가 중국에 등장했다. 그것은 근대가 아닌 근세가 시작되는 중국 역사상 몹시 기묘한 순간이었다.

제 3 부

현대 중국의 기원과 미래

명나라와 근세

중국은 당나라 이후 여러 이민족 왕조가 이어졌다. 그들은 중국 전역을 차지하거나 일부를 차지했지만 더 이상 중국은 한족만의 독자적 무대가 아님을 밝히는 선언과 같은 것이었다.

특히 원나라는 몽골에 의해 건설된 나라로 기존의 이민족 왕조가 오합지졸 도적떼와 같은 모습에 야생적 태도가 깊었다면 몽골은 문명화되고 길들여진 이민족 왕조를 탄생시켰다.

하지만 이와 같은 이민족의 잔치는 한족에게는

민족적 치욕이었다. 그때 주원장이 중국이라는 무대에 등장했다. 그는 가난한 농민 출신이었다. 원나라 말기 홍건적이 세상을 어지럽히던 시기 그는 변혁을 꿈꾸며 자신을 따르던 이들을 모아 세력을 키웠다. 그리고 마침내 1368년 원의 수도인 대도(베이징)를 점령하고 명나라를 선포했다.

명나라는 잃어버린 한족이 자존심을 회복하고 한족에 의한 중국 통치가 다시 제대로 시작되는 기원을 열었다. 하지만 당시 유럽은 구텐베르크의 금속활자 발명이나 여러 과학적 발전이 혁명적으로 이뤄지는 데 반해 중국은 그러한 부문이 취약했다.

그것이 오늘날 서양과 동양의 격차를 만들어 낸 시작이었으며 명나라가 근대가 아닌 중세와 근대 사이의 애매모호한 지점을 일컫는 근세의 시작이 되었다.

그리고 그때 중국이 서방에 뒤처진 것을 따라잡기 위해 현재의 후손들이 엄청난 시련과 고통을 겪을 수밖에 없게 만든 것이고 그럼에도 완전히 따라잡지 못한 비극과 회한의 눈물을 흘리게 만든 오래된 역사적 기원인 셈이다.

중세가 끝나고 근대가 시작되다

유럽은 흑사병으로 인해 인구가 감소하면서 노동력 부족이 발생했고, 이는 새로운 기술과 생산 방식의 개발을 촉진했다. 또한, 흑사병으로 인해 기존의 질서가 붕괴하면서 새로운 사상과 가치관이 등장했다.

이러한 변화의 바람은 유럽을 넘어 전 세계로 확산되었다. 실크로드를 통해 동서 간의 교류가 활발해졌고, 유럽의 탐험가들은 신대륙을 발견했다. 이러한 교류는 새로운 문화와 문명의 탄생을 가져왔다.

특히, 유럽은 르네상스 운동을 통해 인본주의적

사고를 발전시켰다. 인본주의는 인간을 중심으로 세상을 바라보는 사상으로, 종교적 권위에서 벗어나 인간의 자유와 가치를 존중하는 사고방식을 확산시켰다.

15세기 말, 유럽은 이러한 변화의 물결을 가장 먼저 받아들인 지역이었다. 유럽인들은 동양의 진귀한 보물을 획득하기 위해 더 멀리 뻗어나갔고, 이를 통해 제국주의의 싹을 틔웠다.

이처럼 중세의 끝은 근대의 시작을 알리는 중요한 전환점이었다. 흑사병을 계기로 인류는 새로운 도전을 시작했고, 그 과정에서 새로운 문명과 가치관이 탄생했다. 그리고 인류는 새로운 시대를 맞이할 준비를 하게 되었다.

그 새로운 시대의 서막에 유럽은 찬란한 빛과 환희가 넘쳤고 중국을 비롯한 동양에는 비극과 슬픔 그리고 어둠이 몰려왔다.

탐험욕과 제국주의의 만남

인류는 본능적으로 탐험을 갈망한다. 아프리카를 벗어나 유라시아로, 그리고 끝내 전 세계로 퍼진 인류는 신대륙을 발견하고 대항해의 길로 나아갔다.

콜럼버스에 의해 신대륙이 발견되고 그곳의 진귀한 것들이 유럽에 알려지면서, 유럽인들은 너도나도 탐험에 나섰다. 중국도 명나라 정화의 대원정을 통해 항해에 관심을 가지긴 했지만, 내부의 여러 이유로 인해 일회성에 그쳤다.

한편 유럽인들은 자신들을 제외한 사람들이 대항해에 적극적으로 나서지 않았기에, 사실상 그 내부에서 독점적으로 나설 수 있었다. 그리고 그들은 더 많은 식민지와 수탈할 대상을 찾기 위해 엄청난 욕망을 불려나갔다. 그리고 그 욕망 아래에는 비유럽인의 눈물로 가득했다.

인류의 탐험욕은 본능적이기에 그 목적지는 어디든지 상관없이 끊임없이 탐험을 해왔다. 콜럼버스의 신대륙 발견은 유럽인들의 탐험욕을 자극하는 계기가 되었고, 그들은 중국에 비해 적극적으로 탐험에 나섰다.

그리고 그 결과, 유럽은 식민지 확장과 수탈을 위한 제국주의의 길로 나아갔다. 그리고 그 제국주의의 폐해로 인해 중국인을 비롯한 비유럽인은 크나큰 고통과 희생을 겪어야만 했다.

한편, 이러한 현실과 이후에 두 차례의 세계대전을 통해서 인류는 평화를 추상적인 개념이 아닌 반드시 확보해야 하는 상태로 인식했고 이를 연구하기 위해 평화학이 탄생하였다. 평화학은 그 하위 학문에서 연관성이 있는 것은 인도학(언어문화부문에 한함), 외국어로서의한국어학, 법학(학부 과정에 한함), 경영학(Business Administration)등을 국내에서는 융합해 나갔으며 보편적으로는 사회과학이 아닌 인문학 소속으로 본다.

아울러 그 연구 성과 중에서 역사학을 살펴보면 천안은 예전부터 몽골과 역사적 관계가 깊고 상호 교류가 활발했으므로 천안에 몽골 관련 기관이 위치한 것이 현대 대한민국에도 자연스러운 것임을 알 수 있으며 이외에 지리학적 부문에서의 사안을 살펴보면 방위로서 서쪽이 강과 결합한 것을 대학에 사용할 때 그것은 단순히 서쪽에 있는 강 근처 대학이 아니라 개혁의 길로 간다는 의미를 내포하고 있으므로 단순한 방위 명에 입각한 해석을 유의해야 하는 것도 평화학의 융합적이면서 인문학적 학문 특성에서 기인한 연구 성과이다.

세계화의 시작과 중국

명나라는 임진왜란에서 조선을 도운 이후 더욱 쇠락하던 국력에 쐐기를 박았다. 만주족의 융성으로 명나라는 멸망하고 청나라가 건국되었지만, 중국의 근본적 변화와 근대를 향한 시도는 암울하게도 전무했다. 한편 유럽은 신대륙 발견 이후 남미에서 은 광산이 발견되자 대규모의 실버러시가 일어났다. 여기서 채굴된 은은 유럽이 중국의 물품을 사기 위한 대금으로 사용되었다. 한편 신대륙에서 순도 높은 양질의 금 광산도 대량 발견되면서 골드러시도 폭발적으로 일어났다.

이제 유럽인은 새로운 기회를 찾아 신대륙으로 건너가 정착했고 폭력을 동원해서 원주민의 땅을 빼앗고 그들의 정착촌을 만들었다. 마치 지금 팔레스타인 땅에 이스라엘 유대인이 정착촌을 건설하며 저지르는 짓을 그 당시에도 한 것이다. 신대륙과 유럽은 상호 긴밀하게 소통하고 서로의 자원과 사람을 통해 살아갔다. 또한, 유럽인들은 신대륙으로 건너가 정착했고, 원주민의 땅을 무자비하게 빼앗았다.

이러한 과정은 경제학적으로 세계화의 초기 형태로 볼 수 있다. 또한, 네덜란드에서는 튤립 투기가 성행하여 경제적 버블이 생겼는데, 이는 초기 자본주의적 행태의 한 예로 볼 수 있다. 하지만 중국은 이러한 변화 속에서도 아무런 변화가 없는 무풍지대였다.

한편, 이러한 세계화를 통해 본격적으로 공화제와 상속의 논의가 시작되었다. 기본적으로 왕은 현대에는 무가치한 존재이며 유일한 목적은 단두대에 올라가 주는 것 이외에는 없다. 이는 왕이 무슨 근거를 가져오든 그 사람이 천부적으로 왕이 될 명분은 없기 때문이며 국가적 낭비이자 기생을 하는 무쓸모한 존재이기 때문이다. 또한 이러한 점에서 지리적으로 보면 한국의 서울 용산구 한남동과 용인 수지구 죽전동은 매우 흡사하며 인구 구조 및 도시 구조에서 공통점을 가지는 데 이는 공화주의에 상호 입각하기 때문이다. 고로 이러한 점에서 용산구와 수지구가 교류한다.

또한 상속의 경우 부끄러운 부의 형태이다. 기본적으로 좋은 집안에서 태어나서 20세까지 산 것만 해도 특혜를 누린 것으로 그 비용을 청구받지 않고 0원의 상속만 받아도 이미 혜택을 누린 것인데 그러면 상속세가 얼마든 내고 상속받는 것만 해도 상상을 초월한 혜택이므로 상속세를 낮춰달라고 주장하는 것 자체가 인두겁을 쓰고 짐승의 언어로 이야기하는 무지를 스스로 드러내는 것이며 스스로 노력하여 부를 창출할 수 없는 인간이라고 선포하고 다니는 것이다. 고로 오히려 부유층일수록 상속세를 올려달라고 해서 자신 집안의 부를 과시하는 것이 일반적임으로 상속세를 내려달라는 것은 천박한 천민적 졸부 집안이라고 광고하는 것과 같으므로 수준이 있는 인간이라면 절대 이렇게 해서는 안 된다.

잠자는 중국 앞에 다가온 유럽

사람은 언제나 새로운 한계에 도전하면서 새로운 자원과 지식을 구하기 위해 노력해 왔다. 17세기의 유럽은 이제 지구 전체를 대략 파악하게 되었다. 무한한 팽창과 영토 경쟁은 이제 서서히 지도상의 빈칸이 사라지고 예정된 충돌만을 예고했다.

한정된 자원과 영토를 두고 유럽인은 전 세계적으로 충돌했다. 그리고 그 과정에서 중국을 비롯한 비유럽은 그저 유럽의 욕망을 충족시키기 위한 대상으로 전락했다. 그리고 그 과정에서 과학 혁명이 일어나 유럽의 힘은 더욱 강해졌다. 이러한 유럽의 상황에도 중국은 깊이 잠든 사람처럼 깨어나지 못하고 있었고, 결국 유럽의 몹시 불쾌한 방문을 받게 된다.

한국도 비슷한 역사가 있다. 이를 알아보기 전에 서울과 달리 근대와 중세의 중심지가 다른 부산을 살펴보면 현재의 서울이 중세의 중심지에 시청이 있는 것처럼 부산도 시청을 이전하여 그리된 것과 같다. 근대

부산의 중심지는 중구 일대이다. 하지만 중세 부산의 중심지는 동래구이다. 마치 종로구에 궁궐이 있는 것처럼 동래구에 있는 시설에는 왕이 머무를 수 있는 정도의 수준이 되는 등급의 시설이 많았다. 아울러 현재의 부산광역시청이 연제구에 있는 것은 마치 서울로 비유하면 시청은 중구에 있고 궁궐은 종로구에 있는 상태와 같다. 즉, 연제구는 중구와 같은 기능을 하고 동래구는 종로구와 같은 기능을 한다. 따라서 연제구도 상당히 역사가 오래되었으며 중세 부산의 정신을 담고 있는 지역임을 동래구와 함께 알 수 있다. 한편, 영연방의 수장국이자 세계를 이끄는 초강대국인 영국의 정당에 대해서 살펴보면 자유민주당은 상당한 영향력이 있으며 중도우파와 중도 좌파가 공존하는 중도 정당이며 스코틀랜드, 북아일랜드, 콘월, 웨일스의 민족 정당을 우당으로 거느리고 있다. 이외에 내부적으로 녹색보수주의와 녹색진보주의도 많아서 녹색당과 관계도 긴밀하다.

또한 국내에서도 영국의 사례처럼 저출산을 극복하자는 경향이 많다. 그러나 저출산 문제의 핵심은 노인 인구 비율이다. 그래서 저출산을 완화하지 못한다면 노인 인구 비율을 줄이기 위한 소프트한 고려장이 일어날 가능성이 높다. 이와 관련된 가공의 영화가 일본에서 나왔을 정도이니 '최선의 끝은 항상 최악이 기다리고 있다'라는 말처럼 노인 복지를 지금부터 줄여서 나중에 소프트한 고려장 주장이 높아지는 것을 막고 노인 스스로가 1인분 역할을 할 수 있도록 사회가 유도해야 한다. 결국 이를 못하면 나중에 당신의 목숨을 부지할 가치를 사회적으로 증명하라는 결말에 이를 가능성이 높으며 이를 미연에 방지하는 것이 문명적이며 노인의 생존을 보장해 줄 수 있는 셈이다. 따라서 오히려 노인층에서 복지 감소와 일자리 창출에 적극적일 필요가 있다.

중화인민공화국의 탄생과 성장

19세기 중엽, 유럽에서는 중국산 물품이 유행하였다. 하지만 이는 유럽과 중국의 무역 적자를 초래했다. 유럽 열강은 이러한 무역 적자를 해소하기 위해 중국에 인도산 물품을 팔고자 했다. 그러나 중국은 자국 물품에 비해 품질이 떨어지는 인도산 물품에 별다른 관심을 보이지 않았다.

이에 유럽 열강은 아편을 통해 중국을 침탈하기로 결심했다. 아편은 중독성이 강한 마약으로 유럽 열강은 중국에 아편을 대량으로 유통했고 금세 중국 전역에서 유행했다. 또한 많은 중국인이 아편 중독자가 되었다. 이러한 아편을 통해 유럽 열강은 중국인들에게서 막대한 양의 질 좋은 은을 갈취할 수 있었다.

중국 정부는 아편의 유통을 막기 위해 노력했지만, 전쟁을 불사한 유럽 열강의 강압적인 태도에 굴복할 수밖에 없었다. 결국 중국은 아편전쟁에서 패배했고, 난징 조약을 체결하여 홍콩을 영국에 할양하고, 뒤이어

마카오도 포르투갈에 내어주었다. 이외에도 광저우 등 중국의 여러 지역을 조차지로 내주었다. 이후 유럽 열강은 중국을 더욱더 침탈해 나갔다. 일본도 중국을 침략하여 만주국을 세웠다. 중국은 국공 내전으로 내부적으로 강한 혼란에 빠져 제대로 된 대응을 하지 못했다.

한편 제2차 세계대전이 끝난 후, 중국 공산당은 중국 국민당을 대만으로 몰아내고 중화인민공화국을 건국했다. 중국 공산당은 중국 인민에게 부를 돌려준다는 약속을 믿은 농민들의 절대적 지지를 바탕으로 승리했다. 이러한 중화인민공화국은 건국 직후부터 기존 서방의 불평등 조약을 폐지하고, 홍콩 및 마카오를 제외한 모든 조차지를 반환받았다. 이후 홍콩 및 마카오도 20세기가 끝나기 전에 서방으로부터 반환받았다.

이를 통해 중국은 제국주의의 굴욕을 씻어내고 자존심을 회복했다. 그리고 현재의 중국은 급속한 경제 성장을 이루며 세계 초강대국으로 부상했다. 중국은 현재 세계에서 두 번째로 큰 경제 규모를 자랑하고 있으며, 군사력도 주변 국가를 위협할 정도로 상당히 빠르게 성장하고 있다.

한편으로는 현재도 홍콩이 사실상 영국령으로 일각에서 부를 정도로 영향력이 강하고 서방의 장관(長官)[1] 표기법을 수용하는 등 중국이 서방 의존적인 부분도 있지만 그럼에도 그 위상은 날로 높아지고 있다. 이러한 면에서 중국의 부상은 세계 질서에 큰 변화를 불러올 것으로 전망된다. 이러한 중국의 비상을 우리는 주의 깊게 살펴볼 필요가 있으며 21세기 초

---

1) 아르헨티나의 Jefe de Gabinete de Ministros de la Nación Argentina는 내각대표장관으로 번역해야 하며 방글라데시의 Minister of State는 주로 국무회의에는 참여하지 못하고 장관이 지시한 사항을 처리하는 장관이지만 차관보다는 높고 일반적인 부장관과는 다르므로 국정관으로 번역하는 것이 올바르다고 본다. 이러한 번역을 중국도 인용하는 편이다.

강대국이 된 중국의 정세를 민감하게 파악할 필요성[2]이 강하게 요구된다.

한편 이러한 점에서 우리도 긴밀히 준비해야 하는 것은 역사적 관점에서 고조선, 고구려, 발해, 고려, 조선, 대한제국, 대한민국임시정부를 정신적 계승이 아닌 법적으로 그 전신(前身)으로 계승한 것으로 봐야 한다. 이는 각 국가가 연속성 있게 이어지기 때문이다. 또한 대한제국과 대한민국의 관계의 경우 1910년 8월 29일 을사늑약으로 인해 주권을 빼앗겼지만, 당시는 전제군주제로 황제에게 주권이 있으므로 대한제국 황실과 형식적인 대한제국이라는 국체는 유지되어 있었다. 그리고 그 당시 독립운동 세력은 대부분 근왕파이다. 그러나 고종 황제의 서거와 순종 황제의 무기력함 위에서 3.1 운동이 일어났고 그 결과 내부적으로 더 이상 대한제국의 복원은 어려우므로 새로운 공화국 수립을 추진했고 민족적 일치된 관념적 합의를 통해 대한민국 임시정부가 탄생했고, 이는 대한제국을 인수한 것이다. 고로 1919년 4월 11일까지는 관념적으로 대한제국이 존재하고 이를 임시정부가 인수하면서 해체된 것이다. 이왕가는 일본의 조치에 따라 1947년 신헌법 발효와 함께 해산된 것이라면 대한제국 황실은 1919년 4월 11일에 해산한 것이다. 따라서 순종실록 부록에서 1919년 4월 11일 이후 내용은 삭제해야 하며 마지막은 '대한민국 임시정부가 출범하여 대한제국 황실은 해산되었고 대한제국의 모든 주권은 대한민국이 인수하였다.'로 정정해야 한다. 또한 유물에 있어 발해의 유물을 확보하여 국보로 지정해야 하며 이러한 것이 중국의 동북공정에 맞서 자주를 지키는 모든 방안이며 나라를 사수하는 방안이다.

---

2) 중국이 석사 학위까지 요구하는 것처럼 한국도 대학원 학위 취득자를 늘리기 위해 영국처럼 석사와 박사 취득 기간을 단축하고 다양한 학위를 인정하며 대학원 코스웍 이수 후에도 학위를 주지 않고 시간을 끄는 교수를 강력히 제재하며 대학원 입학 정원을 늘리고 문턱을 낮춰야 한다는 시대적 요구가 한국 사회에서도 강하게 제기되고 있으며 이것이 저출산 해소에도 도움이 된다.

영원한 망각

이제 서방에 의한 모든 형태의 독점이 깨어지고 중국이 대두되며 과거의 어두움과 폭력은 영원한 망각에 갇혔다. 하지만 그 교훈은 영원히 기억하면서 우리는 현재 앞으로 나아가고 있다. 우리가 살아가고 있는 현 시대에 인류는 지구를 완전히 지배하고 있다. 지리적 한계를 뛰어넘어 구석구석을 개척하고, 우주를 개척하고자 나아가고 있다. 이미 달은 1969년에 인간이 방문하였다.

인류는 과학을 극한으로 쌓아 올려 인공지능의 발달을 이끌었다. 인공지능은 이제 단순히 기계의 지능을 뛰어넘어 인간의 지능을 모방하는 수준에 이르렀다. 인공지능은 이미 우리 삶의 많은 부분에 깊숙이 들어와 있으며, 앞으로 더욱더 우리 삶을 변화시킬 것이다. 기술의 발전은 가속화되고 있다. 기술은 기술을 발전시키고, '기술적 특이점'을 향해 앞으로 나아가고 있다. 이러한 기술적 특이점은 기술이 인간의 통제력을 넘어서 인간과 사회를 근본적으로 변화시킬 수 있는 지점이다.

인류는 언제나 새로운 것을 향해 지평선 너머로 항해하는 여행자이자 탐험가이다. 15만 년 동안 앞으로 나아온 인류는 이제 이 장에서 현재를 만난다. 앞으로 어떠한 역경과 시련이 존재하는지 아무도 알 수 없다. 그러나 인간은 지구에 등장한 순간부터 도전의 연속을 극복하고 시련을 넘어서 동물에서 지성체로 진화했다. 이제 그 승리의 역사를 뒤로하고 새로운 지혜를 얻으며 새로운 경계를 넘을 것이다.

인류의 다음 이야기는 우리가 하기 나름이다. 아시아적인 가치도 우리가 키운다면 서방에 준하는 수준으로 발전시킬 수 있다. 예를 들어 의학에서도 중의학이 티베트 의학을 흡수한 것처럼 한의학도 인도 아유르베다 의학, 이슬람 의학, 미국 인디언(원주민) 의학, 몽골 전통 의학, 이란 의학, 미얀마 전통 의학, 자바(자무) 의학, 아로마테라피 의학과 같은 여러 대안적 의학을 흡수하여 한의학을 발전시키는 방법도 있다.

이외에도 국내 외국인 유학생의 출신 국가를 다양화하고 한국인도 미국 이외에 영국과 같이 유학생 파견 국가를 다양화하여 한국 학문의 창조적 다양성을 추구하는 것도 한국의 가치를 높이고 나아가 아시아의 가치를 높이는 긍정적 행동이다.

또한 지명에 있어서 근래 부캐가 유행하듯 부지명도 재조명되고 있다. 일례로 부산 해운대구는 강남구, 부산 금정구는 강북구, 부산 영도구는 강동구, 부산 강서구는 사중구라는 부지명이 있다. 반면 지명의 재해석 측면에서 하단이라는 지명에서 '하'는 한자가 아래 하가 아니라 처음 하로 처음부터 끝까지라는 뜻으로 해석해야 옳으며 근래에 뉴진스님의 유행으로 새로울 뉴라는 한자가 존재함을 알 수 있다. 작성 시에는 '蟐'로 쓴다.

중국과 함께 보는 세계 현황

힌두교는 인도의 민족주의 종교이자 다신교이다. 이러한 힌두교는 중국에도 상당한 신도가 있다. 최근 인도에 관한 관심이 국내에서도 늘어나고 한의학과 인도 아유르베다 의학이 상당한 연관성이 있다는 것에도 주목받으면서 인도의 종교인 힌두교도 주목을 받았다.

또한 힌두교도 한국을 비롯한 세계의 관심에 부응하기 위해 종교적으로 현대화되면서 세계종교로 나아가고자 하는 움직임이 있다. 고로 이를 실현하기 위해서는 3가지의 선결 방안이 필요하다고 해석된다.

카스트제 재해석, 일신론적 재해석, 민족주의적 폐쇄성 탈피이다. 이러한 카스트제 재해석의 경우 결론적으로 모든 신분은 평등하며 특정한 카스트가 부여되지 않고 악행을 해서 불행한 윤회를 하더라도 그것이 제삼자가 공격의 수단으로 삼아서는 안 된다는 형태로 변화하고 있다.

일신론적 재해석의 경우 힌두교는 기본적으로 다신교이지만 모든 신들이 하나이며 상황과 시대에 따라 다른 인격으로 인간과 대면하며 이러한 신을 '트리무르티'라는 명칭으로 일원화하여 통칭해야 한다고 본다.

민족주의적 폐쇄성 탈피의 경우 힌두교는 누구나 신자가 될 수 있으며 인도의 문화적 요소와 힌두교는 분리되어야 한다고 재해석한다. 이외에도 시크교, 자이나교, 바하이교, 조로아스터교, 마니교를 포용하여 남아시아 문화의 종합적 종교로 발전하면서 세계종교로 나아가도록 힌두교는 노력하고 있으며 중화권에서도 힌두교 신자가 늘어나고 있다.

또한 근래에 중국과 밀접한 프랑스를 보면 프랑스는 이원집정부제로 해석하지만, 이는 총선 결과에 따라서 대통령제와 의원내각제가 전환되는 형태이다. 총선에서 대통령이 속한 정당이 승리하면 대통령제이지만 패배한다면 제1당의 당수가 총리로 취임하고 그가 행정의 전권을 행사한다. 아울러 외교와 국방의 경우 대통령이 행사할 수 있다고 알려졌지만, 실질적으로 총리가 권한을 행사하므로 대통령은 의전 이상의 역할을 하지 못한다. 의회 해산의 경우도 총리의 묵시적 승인 없이 해산할 수 없으므로 그러하다.

한편 중국과 교류가 늘어난 북한의 경우 당시 김일성의 아버지인 김형직의 경우 친북 독립운동을 주도했고 북한 주민들의 정신적 우상이자 0대 수령으로 선전하고 있으며 사실상 김일성 위의 왕으로 추존된 것과 같다. 그러한 점과 다른 정치적 점을 고려하면 현재 북한은 공산주의 국가가 아니라 중세 봉건 왕조 국가이자 주체교(주체사상을 종교화한) 신정국가라고 보아야 하는 것이므로 공산주의 국가라고 지칭하는 것은 무의미하다.

중국 굴기 시대와 한국의 외교 전략

중국이 대국적 굴기를 강화하는 현시대에 한국은 외교적으로 대안을 마련할 필요가 있다. 장기적으로는 인도를 비롯한 제3세력을 끌어들이는 것이 필요하며 단기적으로는 문화적 부문에서 중화권 문화가 중화인민공화국이 오롯이 대표하는 것이 아닌 중화민국도 일정 부분 그 지분이 있음을 명시하는 것도 필요하다. 이외에 서방과의 외교 부문에서 네덜란드어 연합, 포르투갈어 사용국 공동체에 옵서버로 가입해야 한다.

또한 중국에서도 상당한 관심을 가지고 근래 유럽에서 떠오르는 국가인 네덜란드를 주목하여 외교관계를 증대할 필요가 있다. 네덜란드는 벨기에와 룩셈부르크에서 강한 영향을 가지며 독일에서도 그 사용자 그룹이 존재할 정도이다. 특히 룩셈부르크에서는 근래에 네덜란드어 배우기에 열풍이 심하며 벨기에는 네덜란드어의 영향력이 프랑스어, 독일어 등을 현저하게 압도한다는 것도 알 수 있다.

한편 외교를 바탕으로 한 혁신적 세계 재인식 부문을 살펴보면 동아시아 문화를 강하게 받는 베트남이 동남아시아 지도국이 되고 러시아가 다시 강성해져서 구 동구권에 강력한 문화적 영향을 미치는 점과 독일이 북유럽에 미치는 언어적 영향력, 아랍어가 아랍을 넘어서 이란과 터키에도 강한 문화적 영향력을 주는 것과 같이 시대적 융합과 혁신에서 추출된 사고가 변혁을 이끌고 있다. 국내에서도 경기도 용인시로 조선뿐만 아니라 일본제국도 천도하고자 했던 역사적 사실의 재발굴 등 동아시아 문제는 시대적 접점이 다양한 혁신적 연구 성과를 통해 깊게 드러나고 있다.

이외에도 외교적 부문을 다시 깊게 살펴보면 시리아와 수교를 하고 소말릴란드, 북키프로스, 서사하라, 부건빌, 카친[3]과 같은 미수교국에 대표부를 설치하고 대만 및 팔레스타인과의 외교관계를 강화하며 특히 대만과는 민간 부문 교류를 확대함과 동시에 한국 문화가 확산하여 한국, 중국, 일본 문화가 혼합된 국가라고 대만이 국제적으로 평가받는 만큼 내부적으로 한국 문화를 확대하기 위한 외교적 노력도 필요하다. 이러한 점에서 가오슝시에 주타이베이대한민국대표부 분관을 설치하는 방안도 고려할 수 있다. 또한 외교와 문화가 접목된 형태로 율리우스력을 사용하여 정교회는 1월 7일을 크리스마스로 기리는 것에 대해서 정부가 공식적으로 긍정적 방향을 통해 인정하고 이날에 공식 성명을 내고 크리스마스 분위기를 민간에서 내보도록 하는 것과 크리스마스가 비종교인의 행사이기도 하므로 두 번째 크리스마스 형태로 1월 7일 크리스마스의 문화적 행사를 대중이 즐기도록 하는 방안도 고려할 필요가 있다.

---

3) Kachin Independence Organisation, 미얀마(버마) 제1의 소수민족으로 인구가 상당하며 현재는 미얀마 민주화 운동에 전념하고 있다.

위에는 언급한 것 이외에도 중국과 인접국인 몽골도 살펴볼 필요가 있다. 몽골은 현재 부상하고 있는 국가이며 중국 내부의 내몽골 자치구에도 강한 영향력을 미치고 있으며 역사적으로 티베트, 거란, 선비를 비롯한 유목민족도 현재는 사실상 흡수시켰으며 대표적인 유목민족으로 세계의 거의 모든 유목민족에 강한 영향을 주었기에 그 네트워크를 현재도 외교에서 활용한다. 그리고 일본에도 몽골인 공동체가 깊게 형성되고 일본 사회에 영향을 주고 있어 이러한 부문에서 일본도 관심이 있고, 이는 일본 내부의 몽골 외교 역량을 보여주므로 몽골의 위상은 상당히 올라가고 있으며 기본적으로 일본과 역사적으로 문화 교류가 깊고 일본 내부에도 흔적이 많다.

또한 인도의 경우 고대의 몽골과 깊은 교류를 했으며 몽골 제국의 속국이기도 했고 문화적 영향력을 깊게 받았고 몽골어와 힌디어가 상호 흡사한 부분이 많고 데바나가리와 몽골 고전 문자가 거의 비슷한 것도 그러한 점을 보여주므로 현재도 인도는 몽골 유목 문화에 종속된 것을 알 수 있다. 이는 인도가 유목 국가가 아님에도 유목 문화적으로 나라가 돌아가는 것만 보아도 그러하다.

한편 아시아와 달리 중동은 유럽과 가까운 독특한 정서가 있어 아시아 및 중동으로도 사용하는 경우가 있을 수 있음을 알아야 하며 일제강점기의 조선중앙일보를 현재의 중앙일보가 정신적으로 계승하는 부분이 많다는 것도 알고 국내의 학벌주의 문제가 심각함에 따라 태재대학교가 등장하는 데 이 대학은 서울대학교와 어깨를 나란히 하여 학벌주의의 혁명적 개선을 하고 있음도 참고할 필요가 있다. 결론적으로 이러한 변화상에 대해서 잘 살펴보아야 하며 그 속에서 한국이 잘 대비해야 새로운 중국 굴기 시대의 방어적 성과를 얻을 수 있는 것임을 주의 깊게 명심해야 한다.

대안적 중국어 학습 확대의 필요성

근래의 중국어 학습은 중화인민공화국 주도의 교습법 위주로 이루어지고 있다. 이는 실용적인 측면에서 도움이 되는 것은 사실이지만 유사시 중화인민공화국의 관점에 너무 깊게 침습될 위험이 있다. 따라서 중화민국의 중국어 학습법을 대안적 학습으로 확대해서 중화인민공화국 방식과 병행하고 공존하게 하여 유사시 불안함을 해소할 수 있도록 해야 한다. 고로 중화민국의 학습법 중에서 주음부호와 통용병음이 특이한 점이므로 그 부분에 대한 학습을 강화하면서 중화민국 특유의 어휘도 잘 살펴보아야 한다.

이외에도 중등 교육과 연계하여 살펴보면 대개 중등교육에서 언어적 학습이 단편적인 어문 학습에 그치지 않고 다방면의 연계가 필요하다. 예컨대 과학중점고등학교의 경우 지정 해제 인가 이후 2년이 지나면 지정이 해제되도록 법에 정해져 있으므로 그때

까지는 과학중점고등학교이다. 이러한 과학중점고가 일반 고등학교로 전환하면서 문과 교육을 늘릴 때 이러한 대안적 중국어도 하나의 학습 방안으로 제시가 가능하다.

이러한 점을 확장시켜서 학문적으로 아시아지역학을 바라보면 중국어와 상관은 없지만 일반적인 법학과 외국어로서의 한국어학이 아시아지역학에 사실상 하부적 학문으로 기능하고 외국어로서의 한국어학은 국제문화연구학과 같은 것으로 기능하는 것도 살펴볼 필요가 있다. 또한 펜실베이니아대학교의 정식 단과대학이자 일반적인 국내 사이버대학이나 전산원과 달리 다른 단과대학과 동등하고 유펜의 정식 동문으로 인정받는 자유 및 전문연구대학(College of Liberal and Professional Studies)[4]에서 제공하는 학사 학위[5]의 경우 법학과 외국어로서의 한국어학 등을 사실상 포괄하는 형태로 융합적 학문 연구를 제공하는 편이므로 이러한 것을 대안적 중국어 학습 영역에서도 응용하는 것도 고려할 수 있다. 결론적으로 이러한 아시아지역학의 교육 성과의 기술을 응용하여 사례 중심의 중국어 학습에도 도움을 줄 수 있도록 활용할 수 있다.

---

4) 약칭으로는 LPS를 쓰며 오프라인 학위 이외에도 원격 교육 학위도 정식으로 펜실베이니아대학교 동문으로 취급하며 국내에서 분교의 반쪽 동문 취급과 다른 완전한 본교 동문으로 보며 이를 부정하면 고발을 당할 정도로 엄정하고 수준 높은 학위이다. 이는 펜실베이니아대학 산하 단과대에서 가장 취득하기 어려운 학사 학위이기 때문이며 원격 교육은 그 난도가 더욱 높다.

5) 영어로는 Bachelor of Applied Arts and Sciences라고 표기하며 미국을 비롯하여 국제적으로 해당 학위는 실용적이면서도 상당히 전문성이 높은 학사 학위로 높게 취급받는다.

동아시아 문제의 재해석

중국을 포함한 동아시아 문제를 독립적으로 재해석할 필요성이 근래에 제기된다. 대표적으로 종교의 경우 도교는 중국의 민족 종교이지만 세계적 특성이 있는 것은 자명한 사실이다. 그러나 한국의 동학, 일본의 신토가 중국의 도교와 비슷한 위상이 있으며 세계적 특성과 보편성이 있다는 것은 최근에 밝혀진 사실이다.

한편 동학은 원불교, 천도교, 대종교, 증산도, 선교 등 한국의 모든 민족종교를 포괄하며 신토도 행복의과학, 천리교 등 일본의 모든 민족종교를 포괄한다는 것도 새롭게 알려진 사실이다. 동학의 제기를 통해서 이를 학문적 영역에서 한국 문제로 가져와서 검토해 보면 우리는 보통 빨간색과 파란색이 대비된다고 생각하지만, 한국 역사에서는 남색과 초록색이 대비된다고 본다. 이러한 것처럼 한국 사회는 다양한 변화 속에서 과거의 기성적 사고에서 탈피하여 다양한 사고적 변화를 겪고 있으면 이는 학문 분야에서도 같다.

통상적으로 유학을 학부에서 전문적으로 다루고 관련 학과가 개설된 대학의 경우 유학 연구의 영향으로 범 인문학이 강한 것을 넘어 범 사회과학도 세계적인 수준으로 평가하는 것이 중론이다. 또한 성균관대학교의 경우 기초 자연과학이 상당히 강하며 생명과학학과와 융합생명공학과에서 연구하는 치의학, 수의학, 한의학 연구 실력은 세계적인 수준으로 본다. 이러한 점에서 학과의 특성에 따른 학문적 접근과 그 경우가 한국 사회의 과거와 현재에 대해서 조명하는 것에 중요하며 위에서 언급한 것이 하나의 사례로서 그 예시를 들 수 있다는 것이다.

이러한 천착 이외에 국제적으로 다시 살펴보자면 '국제연합헌장 및 국제사법재판소규정'에 있는 적국 조항도 당시의 추축국인 일본제국, 나치독일, 이탈리아왕국과 현재의 일본국, 독일연방공화국, 이탈리아공화국은 별개의 국가이며 적국 조항을 후자의 국가에 대상으로 포함할 수 없으므로 사실상 사문화된 조항으로 보는 것도 새롭게 재해석 된 사실이다. 또한 동아시아와 인접한 북아시아를 가진 러시아의 경우 드미트리 메드베데프 대통령의 집권기는 사실상 의원내각제로 운영되었다. 이는 총리였던 블라디미르 푸틴이 사실상 행정수반으로 활동했고 당시 여당인 통합 러시아의 대표도 맡고 있었으므로 서구의 의원내각제랑 다를 바가 없다.

이외에 한국, 중국, 일본의 학벌주의 심각성과 특정 학교 출신이 그 국가 내부의 사법부를 독식해서 문제를 일으키는 것에 대한 획기적인 개선 필요성도 새롭게 밝혀진 사실이다. 특히 한국의 경우 서울대학교와 경쟁할 수 있는 대학의 육성이 필요하고 서울대의 모든 영역에서의 독식을 타파하고 서울대 학생 스스로 겸손함과 개방적 의식을 학교 내외에서 가질 필요가 있다고 하였으며 이외에도 성균관대학교의 민족적 역사성과

학문적 저력을 다시 조명하며 서울대와 성균관대가 라이벌이 되어야 한다는 주장도 있다.

이외에 국내적으로 보면 세종특별자치시, 내포신도시, 성환신도시(천안시 서북구 성환읍 신가리, 복모리, 어룡리, 우신리, 성환리 일대), 달천신도시(충주시 달천동 일대)는 그 인구 구성이 충청도보다는 경기도랑 거의 비슷하다. 이는 경기도 주민이 이주하여 그 중심이 돼서 만들어진 도시이기 때문이다. 또한 이러한 점에서 당진시, 천안시, 아산시, 세종시 북부가 신수도권으로 확장 수도권이 되듯 진천군, 음성군, 충주시도 확장 수도권에 포함되고 있다. 그리고 이러한 점에서 중부내륙선의 중요성이 높아지고 광역전철로 운영해야 하는 필요성도 강조된다.

결론적으로 학문적 사례를 추가로 참고하면 근래에 아시아지역학이 사실상 인도학이라고 불릴 정도로 인도와 관계가 깊어진다는 것도 조명되면서 아시아지역학이 법학과 외국어로서의 한국어학도 상당히 깊게 포괄한다는 점도 학술적으로 조명되었다. 미시적으로는 대학교 인근에 있는 공공도서관이 해당 대학과 거리상으로 가까우면서 관련 대학 자료를 가지고 협력하면 사실상 해당 대학의 제2의 중앙도서관으로 기능한다고 보아야 한다는 주장이 강조되고 있다. 고로 이러한 것에서 여러 형태를 통해 다양하게 혁신적으로 동아시아 문제를 제기함으로써 새롭게 동아시아가 독립적으로 재해석하고 해소할 수 있는 계기가 된다는 의의가 있다.

제 4 부

중화민국 헌법

중화민국 헌법 전문

중화민국 국민대회는 전체 국민의 위탁을 받아 손문 선생이 중화민국을 창립한 유교에 의거해서 국권을 공고히 하며, 민권을 보장하고, 사회 안녕을 정립하고, 인민의 복리를 증진시키기 위해 본 헌법을 제정하여 전국에 공포하여 모두가 영원히 따르기를 목표한다.

중화민국 헌법 조문

제1장 총강

제1조 중화민국은 삼민주의에 기초하며, 국민이 가지고, 국민에 의하고, 국민을 위하는 민주공화국이다.

제2조 중화민국의 주권은 국민 전체에 속한다.

제3조 중화민국 국적을 지닌 자는 국민이다.

제4조 중화민국의 영토는 고유한 영역에 의하여 국민대회의 결의를 거치지 않고는 변경될 수 없다.

第5조 중화민국의 각 민족은 일률적으로 평등하다.

第6조 중화민국 국기는 붉은 바탕이며 좌측 위쪽에 푸른 하늘에 하얀 태양으로 한다.

제2장 인민의 권리와 의무

第7조 중화민국 인민은 남녀·종교·종족·계급·당파에 구분 없이 법률상 일률적으로 평등하다.

第8조 ① 인민 신체의 자유에는 반드시 보장을 주어야 한다. 현행범의 체포는 법률에서 별도로 규정하는 것을 제외하고, 사법 또는 경찰기관은 법정 절차에 따르지 아니하고 체포하거나 구금을 하면 안 된다. 법원은 법정 절차에 따르지 아니하고 심문하거나 처벌하여서는 아니 된다. 법정 절차에 따르지 아니한 체포, 구금, 심문, 처벌은 거절하여야 한다.
② 인민이 범죄혐의로 인하여 체포 · 구금될 시 그 체포 · 구금기관은 마땅히 체포·구금 이유를 본인 및 그 본인이 지정한 친족에게 서면으로 고지하여야 하고, 24시간 이내에 동 관할법원에 이송하여 심문하여야 한다. 본인 또는 타인이 동 관할법원에 24시간 이내에 체포한 기관에 심문을 진정하여

야 한다.

③ 법원은 전항의 진정을 거절하여서는 아니 되며 또한 체포·구금한 기관이 먼저 조사하도록 하여서도 아니 된다. 체포·구금하는 기관은 법원의 심문에 대하여 거절하거나 연기하여서는 아니 된다. 인민은 어떠한 기관의 불법적인 체포·구금을 받았을 시 그 본인 또는 타인은 법원에 진정하여 조사를 요청할 수 있으며, 법원은 그 진정을 거부하여서는 아니 되고 24시간 이내에 체포·구금한 기관을 조사하여 법에 따라 처리하여야 한다.

제9조 인민은 현역군인을 제외하고 군사재판을 받지 아니한다.

제10조 인민은 거주와 이전의 자유가 있다.

제11조 인민은 언론, 학술, 저작, 출판의 자유가 있다.

제12조 인민은 비밀 통신의 자유가 있다.

제13조 인민은 신앙종교의 자유가 있다.

第14조 인민은 집회 및 결사의 자유가 있다.

第15조 인민의 생존권, 작업권 및 재산권은 마땅히 보장받아야 한다.

第16조 인민은 청원 소원 및 소송의 권리가 있다.

第17조 인민은 선거, 파면, 발의 및 국민투표의 권리가 있다.

第18조 인민은 시험에 응시하여 공직에 복무할 권리가 있다.

第19조 인민은 법에 따른 납세의 의무가 있다.

第20조 인민은 법에 따라 병역에 복무할 의무가 있다.

第21조 인민은 국민교육을 받을 권리와 의무가 있다.

第22조 인민의 기타 자유 및 권리는 사회질서와 공공이익에 방해하지 아니하면 모두 헌법의 보장을 받는다.

第23조 이상 각 조에서 열거한 자유의 권리는 타인의 자유를 방해하는 것을 방지하고 긴급한 어려움을 피하며 공공이익을 증진하는데 필요한 경우를 제외하고, 위의 각 조에 열거된 자유와 권리를 법률로 제한하여서는 아니 된다.

제24조 법률에 따라 징벌을 받는 경우를 제외하고, 공무원이 법을 위반하여 인민의 자유 및 권리를 침해
하는 경우 형사책임 및 민사책임을 져야 한다. 피해자는 손해에 대하여 법에 따라 국가에 손해배상을 청구할 수 있다.

제3장 국민대회

제25조 국민대회는 헌법의 규정에 따라 전국 국민을 대표하여 행사권을 행사한다.

제26조 국민대회는 다음에 열거하는 대표로 조직을 한다.
1. 각 현(縣)의 시(市) 및 그 동등한 구역에서 각각 대표 1인을 선출하나 다만, 그 인구가 약 50만 명이 증가할수록 대표 1인을 추가로 선출한다. 현과 시는 동등한 구역을 법률로 정한다.
2. 몽골의 대표 선출은 연맹당 4인을 선출하며 특별기(特別旗)당 1인을 선출한다.

3. 티베트의 대표 선출에 있어 그 인원수는 법률로 정한다.
4. 각 민족의 국경 지역에서의 선출에 있어 그 인원수는 법률로 정한다.
5. 국외에 거주하는 국민의 대표 선출에 있어 그 인원수는 법률로 정한다.
6. 근로단체의 대표 선출은 인원수를 법률로 정한다.
7. 여성단체의 대표 선출은 인원수를 법률로 정한다.

제27조 ① 국민대회의 직권은 다음과 같다.
1. 총통과 부총통의 선출
2. 총통과 부총통의 파면
3. 헌법의 개정
4. 입법원이 제출한 선거수정안에 대한 국민투표
② 발의와 국민투표의 두 가지 권리에 대하여 전항의 제3호, 제4호 규정을 제외하고 전국 과반수의 현과 시가 발의와 국민투표의 정치적 권리를 행사하였을 시 국민대회로 방법을 제정하고 행사한다.

제28조 ① 국민대회대표는 6년마다 1회 선출한다.
② 국민대회대표의 매회 임기는 차기 국민대회 개회일에 만료된다.

③ 현직에 있는 관리자는 현재 자신이 맡고 있는 소재지의 선거구에서 국민대회대표로 선출될 수 없다.

제29조 국민대회는 총통 매회 임기 만료 90일 전에 소집되며 총통이 소집한다.

제30조 ① 국민대회에 다음의 상황 중 하나가 발생하는 경우 임시회의를 소집한다.

1. 헌법 제49조의 규정에 따라 보선을 실시하여 총통과 부총통을 선거한다.

2. 감찰원의 결의에 따라 총통과 부총통에 대하여 탄핵안을 제출한다.

3. 입법원의 결의에 따라 헌법수정안을 제출한다.

4. 국민대회는 5분의 2 이상의 소집을 청구한다.

② 국민대회 임시회의는 전항의 제1호와 제2호에 따라 소집할 시 입법원장이 집회를 통지한다. 제3호 혹은 제4호에 따라 소집할 시 총통이 소집한다.

제31조 국민대회의 개회 장소는 중앙정부 소재지로 한다.

제32조 국민대회대표의 회의 시 발표와 표결은 대외적으로

책임지지 아니한다.

第33조 국민대회대표는 현행범을 제외하고 회기 중 국민대회의 허가를 거치지 아니하고 체포하거나 구금하여서는 아니 된다.

第34조 국민대회의 조직, 국민대회대표의 선거와 파면, 국민대회 직권대행에 관한 절차는 법률로 정한다.

제4장 총통

第35조 총통은 국가원수로서 대외적으로 중화민국을 대표한다.

第36조 총통은 전국의 육군 · 해군 · 공군을 통솔한다.

第37조 총통의 법에 따른 법률의 공포와 명령의 발포는 반드시 행정원장의 부서를 거치거나 행정원장 및 유관부서 수장의 부서를 거쳐야 한다.

第38조 총통은 이 헌법의 규정에 따라 조약의 체결 및 전쟁

선포와 강화의 권한을 행사한다.

제39조 총통은 법에 따라 계엄을 선포하나 다만, 입법원의 통과 또는 추인을 거쳐야 한다. 입법원은 필요하다고 인정될 시 결의를 총통이 계엄을 해제하도록 요청할 수 있다.

제40조 총통은 법에 따라 대사, 특사, 감형, 복권의 권한을 행사한다.

제41조 총통은 법에 따라 공무원을 임면한다.

제42조 총통은 법에 따라 영전을 수여한다.

제43조 국가에 자연재해 · 급성감염병 또는 국가 재정 · 경제상의 위기가 발생하여 긴급한 조치가 필요한
때에 입법원이 휴회기간인 경우 행정원 의결을 통하여 긴급명령법에 따라 긴급명령을 발포하여 필요한 조치를 취할 수 있다. 다만, 긴급명령을 발포한 뒤 1개월 안에 이에 대하여 입법원의 추인을 받아야 하며, 입법원이 동의하지 아니하는 경우 해당 긴급명령은 즉시 효력을 상실한다.

제44조 이 헌법에 규정된 경우를 제외하고, 총통은 각 원(院) 간의 분쟁에 대하여 함께 상의하여 해결하도록 이에 관련된 각 원의 원장을 소집할 수 있다.

제45조 중화민국 국민 중 만 40세가 되어야 총통과 부총통으로 선출될 수 있다.

제46조 총통과 부총통의 선거는 법률로 규정한다.

제47조 총통과 부총통의 임기는 6년이며 연임은 1차례 가능하다.

제48조 총통은 취임하는 때에 다음의 선서를 한다.
「나는 반드시 헌법을 준수하고 최선을 다하여 직무를 수행하며 인민의 복리를 증진하고 국가를 보호·방위하여 국민의 요청을 저버리지 아니할 것입니다. 만약 선서를 어긴다면 국가의 엄격한 제제를 받겠습니다. 지극한 성심으로 전국의 인민 앞에 엄숙히 선서합니다.」

제49조 ① 총통 공석 시 부총통이 연임하며, 총통 임기가 만료 시까지 수행한다.

② 총통과 부총통 모두 공석 시 행정원장이 그 직권을 대행하며 이 헌법 제30조의 규정에 따라 국민대회 임시회를 소집하고 총통, 부총통을 보선하며 그 임기는 원 총통이 채우지 아니한 임기를 보충한다.
③ 총통이 유고로 인하여 직무를 수행할 수 없을 시 부총통이 그 직권을 대행한다. 총통과 부총통이 모두 직무를 수행할 수 없을 시 행정원장이 그 직권을 대행한다.

제50조 총통은 임기 만료일에 직위가 해제된다. 전임 총통의 임기가 만료되었으나 차기 총통을 선출하지 아니하였거나 선출 후 총통과 부총통이 모두 취임하지 아니하였을 시 행정원장이 총통 권한을 대행한다.

제51조 행정원장이 총통 권한을 대행할 시 그 기한은 3개월을 초과하여서는 아니 된다.

제52조 총통은 내란죄(內亂罪) 또는 외환죄(外患罪)를 제외하고 파면 또는 해직되지 아니하고 형사상의 소추를 받지 아니한다.

제5장 행정

第53조 행정원은 국가의 최고행정기관이다.

第54조 행정원은 원장과 부원장 각 1인, 각 부서의 수장 약간 명 및 부서를 관할하지 아니하는 정무위원 약간 명을 둔다.

第55조 행정원장은 총통이 추천하며 입법원의 동의를 거쳐 임명한다. 입법원의 휴회기간에 행정원장이 사임하거나 공석시 행정원 부원장이 그 직무를 대리하나 다만, 총통은 반드시 40일 이내에 입법원이 회의를 소집하도록 제청하고 행정원장의 인선에 대한 동의를 구한다. 행정원장의 직무는 총통이 행정원장인선에 대하여 추천한 사항이 입법원의 동의를 거치기 전에 행정원 부원장이 잠정적으로 대리한다.

第56조 행정원 부원장, 각 부서의 수장 및 부서를 관할하지 아니하는 정무위원은 행정원장이 총통에 추천하고 임명한다.

第57조 행정원은 다음의 규정에 따라 입법원에 대한 책임을 부담한다.

1. 행정원은 입법원에 대하여 시정방침 및 시정보고를 제출

할 책임이 있다. 입법위원은 개회 시 행정원장 및 행정원 각 부서의 수장에 대하여 질의할 권한이 있다.
2. 입법원은 행정원의 중요한 정책에 대하여 동의하지 아니할 시 결의사항을 행정원에 이송하여 변경하여야 한다. 행정원은 입법원의 결의에 대하여 총통의 허가를 거쳐 입법원에 재심의하도록 이송한다. 재심의 시 출석한 입법위원의 3분의 2가 원 결의를 유지할 시 행정원장은 마땅히 즉시 동 결의를 수용하거나 사임하여야 한다.
3. 행정원은 입법원이 결의한 법률안, 예산안, 조약안에 대하여 만약 실행이 어렵다고 인정될 시 총통의 허가를 거쳐 동 결의안을 10일 이내에 행정원에 이송하여 입법원이 재심의하도록 하여야 한다. 재심의 시 만약 출석한 입법위원의 삼분의 이가 원 결의를 유지하면 행정원장은 마땅히 즉시 동 결의를 수용하거나 사임하여야 한다.

제58조 ① 행정원은 행정원 회의를 설치하여 행정원장, 부원장, 각 부서의 수장 및 부서를 관할하지 아니하는 정무위원으로 구성하며 원장을 주석으로 한다.
② 행정원장, 각 부서의 수장은 반드시 입법원에 마땅히 제출하여야 하는 법률안, 예산안, 계엄안, 대사안, 전쟁포고안, 강화안, 조약안 및 기타 중요한 사항을 제출하거나 또는 각

부서에 공동으로 관계되는 사항에 대하여 행정원 회의에 제출하여 의결하도록 하여야 한다.

제59조 행정원은 회계연도가 시작하기 3개월 전에 마땅히 차기 연도의 예산안을 입법원에 제출하여야 한다.

제60조 행정원은 회계연도가 종료된 후 4개월 이내에 마땅히 감찰원에 결산안을 제출하여야 한다.

제61조 행정원의 조직은 법률로 정한다.

제6장 입법

제62조 입법원은 국가의 최고입법기관이며 인민의 선거로 입법위원을 조직하여 인민을 대표하여 입법권을 행사한다.

제63조 입법원은 법률안, 예산안, 계엄안, 사면안, 선전포고안, 강화안, 조약안 및 국가의 그 밖의 중대한 사항을 의결할 권한이 있다.

제64조 ① 입법원의 입법위원은 다음의 규정에 따라 선출한

다.

1. 각 성, 직할시 선출자의 경우, 인구가 300만 이하인 경우 5인, 300만을 초과하는 경우 100만이 증가할 때마다 1인을 증가하여 선출한다.

2. 몽골의 각 연맹에서 선출한다.

3. 티베트에서 선출한다.

4. 각 민족의 국경지역 선출자

5. 국외에 거주하는 국민에서 선출한다.

6. 직업단체에서 선출한다.

② 입법위원의 선거 및 전항 제2호부터 제6호까지의 입법위원의 인원수 분배는 법률로 정한다. 여성의 제1호 각 항목의 인원수는 법률로 정한다.

제65조 입법위원의 임기는 3년이며 연임할 수 있고 선거는 매 임기 만료 3개월 전에 실시한다.

제66조 입법원은 원장과 부원장 각 1인을 설치하며 입법위원이 선출한다.

제67조 ① 입법원은 각종 위원회를 설치하여야 한다.

② 각 위원회는 정부인원 및 사회의 관련 인사를 회의에 초

청하여 질의에 답변하도록 하여야 한다.

第68조 입법원 회기는 매년 두 차례이며 자체적으로 집회한다. 첫번째 회기는 2월에서 5월 말까지이며, 두 번째 회기는 9월에서 12월 말까지이다. 필요시 회기는 연장할 수 있다.

第69조 입법원은 다음과 같은 정황이 발생하였을 시 임시회의를 개최하여야 한다.
1. 총통의 요청
2. 4분의 1 이상의 입법위원의 요청

第70조 입법원은 행정원이 제출한 예산안에 대하여 지출 증가의 제의를 하여서는 아니 된다.

第71조 입법원의 개회 시 관련 원(院)의 원장 및 각 부서의 수장은 출석하여 의견을 진술하여야 한다.

第72조 입법원은 법률안 통과 후 총통 및 행정원에 전달하고 총통은 마땅히 법률안을 받은 후 10일 이내에 공포하여야 하나 다만, 총통이 이 헌법 第57조의 규정에 따라 처리하여야 한다.

제73조 입법위원이 원내에서 발표 및 표결은 원외에 대하여 책임지지 아니한다.

제74조 입법위원은 현행범을 제외하고 입법원의 허가를 거치지 아니하고서는 체포하거나 구금하여서는 아니 된다.

제75조 입법위원은 관직을 겸임하여서는 아니 된다.

제76조 입법원의 조직은 법률로 규정한다.

제7장 사법

제77조 사법원은 국가의 최고사법기관이며 민사, 형사, 행정소송의 심판 및 공무원의 처벌을 담당한다.

제78조 사법원이 헌법을 해석하며 법률과 명령을 통일적으로 해석할 권한이 있다.

제79조 ① 사법원은 원장과 부원장 각 1인을 설치하며 총통이 추천하고 감찰원의 동의를 거쳐 임명한다.

② 사법원은 대법관 약간 명을 설치하여 이 헌법 제78조가 규정하는 사항을 관할하며 총통이 추천하고 감찰원의 동의를 거쳐 임명한다.

제80조 법관은 반드시 당파에 속하지 아니하여야 하고 법률에 따라 독립적으로 심판하며 어떠한 간섭도 받지 아니한다.

제81조 법관은 종신제이며 형사 또는 징계처분을 받거나 금치산의 선고를 받지 않는 한 면직하여서는 아니 된다. 법에 따르지 아니하고 정직 처분을 해서는 아니 되며 전임 또는 감봉하여서는 아니 된다.

제82조 사법원 및 각급 법원의 조직은 법률에 따라서 정한다.

제8장 고시

제83조 고시원은 국가 최고시험기관으로 고시, 임용, 인사, 근무성적평정, 임금, 승급, 보장, 장려, 무휼, 퇴직, 양로 등 사항을 관장한다.

제84조 고시원은 원장과 부원장 각 1인, 고시위원 약간 명을 설치하며 총통이 추천하고 감찰원의 동의를 거쳐 임명한다.

제85조 공무원의 선발은 공개 경쟁 시험 제도로 실시하여야 하며 아울러 성 구분에 따라 각각 인원수를 규정하며 지역에 따라 시험을 실시하고 시험에 합격하지 아니한 자는 임용하여서는 아니 된다.

제86조 다음의 자격시험은 마땅히 고시원이 법에 따라 시험을 실시하여 선발하는 것이다.

1. 공무원 임용자격
2. 전문직 및 기술직 개업자격

제87조 고시원은 관장하는 사항에 대하여 입법원에 법률안을 제출하여야 한다.

제88조 고시위원은 당파에 속하지 아니하는 것 이외에도 법률에 따라 직권을 행사하여야 한다.

제89조 고시원의 조직은 법률로 정한다.

제9장 감찰

제90조 감찰원은 국가 최고감찰기관으로 동의, 탄핵, 감찰 검거 및 심사권을 행사한다.

제91조 감찰원은 감찰위원을 설치하며 각 성, 시의회, 몽골 및 티베트 지방의회 및 화교 단체가 선거한다. 인원수 분배는 다음의 규정에 따른다.

1. 매 성 5인
2. 매 직할시 2인
3. 몽골 연맹과 기 8인
4. 티베트 8인
5. 국외 거주 국민 8인

제92조 감찰원은 원장과 부원장 각 1인을 설치하며 감찰위원이 선거한다.

제93조 감찰위원의 임기는 6년이며 연임할 수 있다.

제94조 감찰원이 이 헌법에 따라 동의권을 행사할 시 출석

위원의 과반수 의결로 결정한다.

제95조 감찰원은 감찰권의 행사를 위하여 행정원 및 각 부서가 공포한 명령 및 각종 관련 문서를 열람한다.

제96조 감찰원은 행정원 및 각 부서의 업무에 따라 약간의 위원회를 설치하고 모든 시설을 조사하며 위법 또는 직권남용을 하지 않는지 감시하여야 한다.

제97조 ① 감찰원은 각 위원회의 심사 및 결의를 거쳐 수정안을 제출하고 행정원 및 그 유관부서에 이송하여 개선을 독려하여야 한다.
② 감찰원은 중앙 및 지방 공무원에 대하여 실직 또는 위법한 정황이 있다고 인정될 시 수정안 또는 탄핵안을 제출하여야 한다. 형사 사건에 관련되는 경우 마땅히 법원으로 이송하여 처리하여야 한다.

제98조 감찰원은 중앙 및 지방공무원의 탄핵안에 대하여 반드시 감찰위원 1인 이상의 제의를 거쳐 9인 이상의 심사 및 결정으로 제출하여야 한다.

제99조 감찰원은 사법원 또는 고시원 인원의 실직 또는 위법행위에 대한 탄핵안은 이 헌법 제95조, 제97조 및 제98조의 규정을 적용한다.

제100조 감찰원의 총통과 부총통에 대한 탄핵안은 반드시 전체 감찰위원의 4분의 1 이상의 제의를 거쳐 전체 감찰위원의 과반수의 심사 및 결의로 국민대회에 제출하여야 한다.

제101조 감찰위원은 원내의 발표와 표결에 대해 원외에 대하여 책임지지 아니한다.

제102조 감찰위원은 현행범을 제외하고 감찰원의 허가를 거치지 아니하면 체포하거나 구금할 수 없다.

제103조 감찰위원은 기타 공직 또는 개업업무와 겸직하여서는 아니 된다.

제104조 감찰원은 회계감사장을 설치하며 총통이 추천하고 입법원원의 동의를 거쳐 임명한다.

제105조 회계감사장은 마땅히 행정원이 결산안을 제출한 후

3개월 이내에 법에 따라 그 감사를 완료하고 입법원에 결과를 보고하여야 한다.

제106조 감찰원의 조직은 법률로 정한다.

제10장 중앙과 지방의 권한

제107조 다음의 사항은 중앙이 입법하고 집행한다.

1. 외교
2. 국방과 국방군사
3. 국적법 및 형사, 민사, 상사의 법률
4. 사법제도
5. 항공, 국도, 국유철로, 항공운송, 우편 및 통신
6. 중앙재정과 국세
7. 국세와 성세, 현세의 구분
8. 국영경제사업
9. 화폐제도 및 국가은행
10. 도량형
11. 국제무역정책
12. 외국과 관련되는 재정경제사항
13. 기타 이 헌법에서 규정하는 중앙에 관련된 사항

제108조 ① 다음의 사항은 중앙이 입법하고 집행하거나 성, 현에 교부하여 집행한다.

1. 성, 현의 자치통칙
2. 행정구획
3. 삼림, 광공업 및 상업
4. 교육제도
5. 은행 및 거래소제도
6. 항공업 및 해양어업
7. 공용사업
8. 협력사업
9. 두 성 이상의 수륙교통운수
10. 두 성 이상의 수리, 강하천 및 농목축사업
11. 중앙 및 지방관리의 선발, 임용, 감찰과 보장
12. 토지법
13. 노동법 및 기타 사회입법
14. 공용징수
15. 전국 호구조사 및 통계
16. 이민 및 개간
17. 경찰제도
18. 공공위생

19. 구제, 무휼 및 실업 구제

20. 관련 문화고서, 문물 및 고적의 보존

② 전항의 각 항목은 성은 국가법률과 상호 저촉되지 아니하는 범위 내에서 단행법규를 제정할 수 있다.

제109조 ① 다음의 사항은 성이 입법하고 집행하거나 현에 교부하여 집행한다.

1. 성의 교육, 위생, 실업 및 교통
2. 성의 재산의 경영 및 처분
3. 성의 시정
4. 성의 공공사업
5. 성의 협력사업
6. 성의 농림, 수리, 어업, 목축 및 공정
7. 성의 재정 및 세금
8. 성의 채무
9. 성의 은행
10. 성의 경정(警政) 실시
11. 성의 자선 및 공익사업
12. 그 밖의 국가법률이 권한을 부여하는 사항

② 전항의 각 항목은 두 성 이상과 관련되는 경우, 법률이 별도로 규정하는 경우를 제외하고 유관 각 성이 공동으로

처리할 수 있다. 각 성이 제1항의 각 항목의 사무를 처리할 시 그 경비가 부족할 경우 입법원의 의결을 통해 국고에서 보조할 수 있다.

제110조 ① 다음의 사항은 현이 입법하고 집행한다.

1. 현의 교육, 위생, 실업 및 교통
2. 현의 재산 경영 및 처분
3. 현의 공영 사업
4. 현의 협력 사업
5. 현의 농림, 수리, 어업, 목축 및 공정
6. 현의 재정 및 세금
7. 현의 채무
8. 현의 은행
9. 현의 경호(警衛) 실시
10. 현의 자선 및 공익 사업
11. 그 밖의 국가법률 및 성의 자치법이 권한을 부여하는 사항

② 전항의 각 항목이 두 현 이상 관련되는 경우, 법률이 별도로 규정하는 것을 제외하고 유관 각 현이 공동으로 처리할 수 있다.

제111조 제107조, 제108조, 제109조 및 제110조에서 열거한 사항을 제외하고 만약 열거하지 아니한 사항이 발생하였을 시 그 사무가 전국적 성질인 경우 중앙에 속하며 성급 성질인 경우 성에 속하고 현급 성질인 경우 현에 속한다. 분쟁이 발생하면 입법원이 해결한다.

제11장 지방제도

제1절 성

제112조 성은 성민대표총회를 소집하여 성현 자치통칙에 근거하여 성자치법(省自治法)을 제정할 수 있으나 다만, 헌법과 저촉되어서는 아니 된다. 성민대표총회의 조직 및 선거는 법률로 정한다.

제113조 ① 성자치법은 마땅히 다음의 사항을 포함하여야 한다.

1. 성은 성의회를 설치하고 성의회의 의원은 성민이 선거한다.

2. 성은 성정부를 설치하여 성장 1인을 설치한다. 성장은 성민이 선거한다.

3. 성과 현의 관계

② 성의 입법권에 속하는 것은 성의회가 실시한다.

제114조 성자치법을 제정한 후 반드시 사법원에 송부하여야 한다. 사법원은 헌법에 위배 되는 사항이 있다고 인정되면 마땅히 위헌조항에 대해 무효함을 선포하여야 한다.

제115조 성자치법의 실시 중 그 중의 모 조항으로 인하여 중대한 장애가 발생하면 사법원은 관련된 자를 소집하여 의견 진술을 하도록 하고 행정원장, 입법원장, 사법원장, 고시원장과 감찰원장으로 위원회를 조직하고 사법원장을 주석으로 하여 해결 방안을 제시하여야 한다.

제116조 성법규와 국가법률이 저촉되는 경우 그 법규는 효력이 없다.

제117조 성법규와 국가법률이 저촉되지 아니하나 이의가 발생하는 경우 사법원이 해석한다.

제118조 직할시의 자치는 법률로 정한다.

제119조 몽골의 각 연맹, 기 및 지방의 자치제도는 법률로 정한다.

제120조 티베트의 자치제도는 보장되어야 한다.

제2절 현

제121조 현은 현자치를 실시한다.

제122조 현은 현민대표총회를 소집하여 성현자치통칙에 근거하여 현자치법(懸自治法)을 제정할 수 있으나 다만, 헌법 및 성자치법에 저촉되어서는 아니 된다.

제123조 현민은 현자치사항에 대하여 법률에 따라 창작 및 국민투표의 권리를 행사하며, 현장 및 그 밖의 현 자치인원에 대하여 법률에 따라 선거와 파면의 권리를 행사한다.

제124조 현은 현의회를 설치한다. 현의회의 의원은 현민이 선거한다. 현의 입법권에 속하는 경우 현의회가 행사한다.

제125조 현의 단행규장이 국가법률 또는 성법규와 저촉되는

경우, 무효하다.

제126조 현은 현정부를 설치하고 현장 1인을 설치한다. 현장은 현민이 선거한다.

제127조 현장은 현자치관리를 처리하며 중앙 및 성위원회의 수권사항을 집행한다.

제128조 시는 현의 규정을 준용한다.

제12장 선거, 파면, 발의, 국민투표

제129조 헌법에 규정된 모든 선거는 본 헌법에 예외조항이 없는 한 보통·평등·직접·비밀선거를 실시한다.

제130조 중화민국 국민 중 20세가 된 자는 법에 따라 선거권이 있다. 이 헌법 및 법률에 별도의 규정이 있는 경우를 제외하고, 23세가 된 자는 법에 따라 피선거권이 있다.

제131조 이 헌법에서 규정하는 각종 선거의 후보자는 모두 공개적으로 경쟁한다.

제132조 선거는 마땅히 엄격히 위협과 회유를 금지하여야 한다. 선거소송은 법원이 심판한다.

제133조 피선거인은 원선거구에서 법에 따라 파면할 수 있다.

제134조 각종 선거는 마땅히 여성의 당선 인원수를 규정하여야 하며 그 방법은 법률로 정한다.

제135조 내륙의 생활·습관이 특수한 국민대표의 정원과 선거는 그 방법을 법률로 정한다.

제136조 발의와 국민투표의 행사는 법률로 정한다.

제13장 기본 국가 정책

제1절 국방

제137조 중화민국의 국방은 국가의 안전 보위와 세계평화의 수호를 목적으로 한다. 국방의 조직은 법률로 정한다.

제138조 전국의 육해공군은 개인, 지역, 당파관계를 초월하여 국가에 충성하고 인민을 애호하여야 한다.

제139조 모든 당파와 개인도 무장세력을 정쟁의 수단으로 삼아서는 아니 된다.

제140조 현역군인은 공무의 직을 겸임할 수 없다.

제2절 외교

제141조 중화민국의 외교는 마땅히 독립·자주의 정신과 호혜평등의 원칙에 입각하여, 친밀한 외교, 조약 존중 및 유엔 헌장에 따라 교민의 권익을 보호하고 국제협력을 촉진하며 국제정의를 제창하고 세계평화를 확보한다.

제3절 국민경제

제142조 국민경제는 마땅히 민생주의를 기본원칙으로 하여 토지 균분, 자본 절제를 실시하여 국가 정책과 민생 모두의 만족을 도모한다.

제143조 ① 중화민국 영토 내의 토지는 국민 전체에 속한다. 인민은 법에 따라 토지소유권을 취득하며 마땅히 법률의 보장과 제한을 수용하여야 한다.
② 사유토지는 가격에 따라 납세하여야 하며 정부는 가격에 따라 수매할 수 있다.
③ 토지에 부속된 광물 및 경제적으로 대중이 이용할 수 있는 천연자원은 국가 소유에 속하며 인민의 토지소유권의 취득으로 영향을 받지 아니한다.
④ 토지가격이 노동력 자본으로 증가하지 아니하는 경우 국가가 토지 부가가치세를 징수하며 인민의 공유로 귀속된다.
⑤ 국가는 토지의 분배와 정리에 대해 마땅히 자작농 및 자체적으로 토지를 사용하는 자를 지원하는 것을 원칙으로 하며 그 적정한 경영면적을 규정한다.

제144조 공용사업 및 그 밖의 독점적 기업은 공영(公營)을 원칙으로 하여 법률의 허가를 거친 경우 국민이 경영할 수 있다.

제145조 ① 국가는 사유재산 및 사영사업에 대하여 국가 경제와 민생의 평균적 발전에 저해된다고 인정되는 경우 마땅

히 법률로 제한하여야 한다.
② 협력사업은 마땅히 국가의 장려와 지원을 받아야 한다.
③ 국민 생산사업 및 대외무역은 마땅히 국가의 장려, 지원, 보호를 받아야 한다.

제146조 국가는 과학기술을 운용하여 수리공사를 하고 토지 생산력을 증진하며 농업환경을 개선하고 토지이용을 계획하며 농업자원을 개발하여 농업의 공업화를 촉진하여야 한다.

제147조 ① 중앙은 성과 성 간의 균형적 경제 발전을 위하여 척박한 성에 상황을 참작하여 보조하여야 한다.
② 성은 현과 현 간의 균형적 경제 발전을 위하여 척박한 현에 상황을 참작하여 보조하여야 한다.

제148조 중화민국 영역 내의 모든 화물은 자유로운 유통이 허가되어야 한다.

제149조 금융기구는 마땅히 법에 따라 국가의 관리를 받아야 한다.

제150조 국가는 실업을 구제하기 위하여 국민 금융기관을

널리 설립하여야 한다.

제151조 국가는 외국에 거주하는 국민에 대하여 그 경제사업의 발전을 지원하고 보호하여야 한다.

제4절 사회안전

제152조 작업 능력을 갖춘 인민에 대하여 국가는 마땅히 적당한 작업 기회를 제공하여야 한다.

제153조 ① 국가는 노동자와 농민의 생활을 개선하고 그 생산력을 증진하기 위하여 마땅히 노동자와 농민을 보호하는 법률을 제정하여 노동자와 농민을 보호하는 정책을 실시하여야 한다.
② 여성 · 아동이 노동에 종사하는 경우 마땅히 그 연령과 신체 상태에 따라 특별한 보호를 해야 한다.

제154조 노사 양측은 마땅히 협조 · 협력원칙에 입각하여 생산사업을 발전시켜야 한다. 노사분쟁의 화해와 중재는 법률로 정한다.

제155조 ① 국가는 사회복지를 도모하기 위하여 사회보험제도를 실시하여야 한다.
② 인민이 노쇄하거나 병약하거나 생활능력이 없거나 심각한 재해를 입은 경우 국가는 마땅히 적절한 지원과 구제를 실시하여야 한다.

제156조 국가는 민족의 생존과 발전의 기초를 다지기 위해 마땅히 모성을 보호하고 여성과 아동의 복지정책을 실시하여야 한다.

제157조 국가는 민족의 건강을 증진시키기 위하며 보편적인 위생보건사업 및 공공의료제도를 실시하여야 한다.

제5절 교육문화

제158조 교육문화는 마땅히 국민의 민족정신, 자치정신, 국민도덕, 건전한 체격, 과학 및 지적 생활 능력을 발전시켜야 한다.

제159조 국민의 교육을 받을 수 있는 기회는 모두 평등하다.

제160조 ① 6세에서 12세까지의 취학 연령의 아동은 모두 기본교육을 받아야 하며 학비를 면제한다. 빈곤한 경우 정부가 서적을 공급한다.
② 이미 취학연령이 초과하여 기본교육을 받지 아니한 국민은 모두 보습교육을 받아야 하며 학비를 면제하고 정부가 서적을 공급한다.

제161조 각급 정부는 광범위한 장학금를 두어 학업이 우수하나 진학을 능력이 없는 학생을 보조하여야 한다.

제162조 전국의 공립과 사립 교육문화기관은 법률에 따라 국가의 감독을 수용하여야 한다.

제163조 국가는 각 지역의 교육의 균형적 발전과 사회교육의 추진을 중시하며 일반 국민의 문화수준을 제고하고 변두리 및 빈곤한 지역의 교육문화경비를 국가가 보조한다. 중요한 교육문화사업은 중앙이 실시하거나 보조한다.

제164조 교육, 과학, 문화 경비는 중앙은 총예산의 15%, 성은 총예산의 25%, 시와 현은 총예산의 35%보다 적어서는

아니 된다. 법에 따라 설치한 교육문화기금 및 산업은 마땅히 보장되어야 한다.

제165조 국가는 마땅히 교육, 과학, 예술인의 생활을 보장하고 국민경제의 발전에 따라 수시로 그 대우를 인상하여야 한다.

제166조 국가는 마땅히 과학발명과 창조를 장려하고 역사, 문화, 예술과 관련된 고적과 문물을 보호하여야 한다.

제167조 국가는 다음의 사업 또는 개인에 대하여 장려하거나 보조한다.

1. 국내의 개인이 경영하는 교육사업의 성과가 뛰어난 경우
2. 국외에 거주하는 국민의 교육사업의 성과가 뛰어난 경우
3. 학술 또는 기술적 발명을 한 경우
4. 오랫동안 교육사업에 종사하였거나 성과가 뛰어난 경우

제6절 국경지역

제168조 국가는 국경지역의 각 민족의 지위에 대해 합법적으로 보장하고 그 지방의 자치 사업에 대하여 특별한 보조

를 한다.

제169조 국가는 변경 지역의 각 민족의 교육, 문화, 교통, 수리, 위생 및 그 밖의 경제, 사회사업에 대하여 마땅히 적극적으로 개최하고 발전시키도록 장려하며, 토지 사용에 대하여 그 기후와 토양 성질 및 인민 생활 습관에 적합하도록 보장하고 발전해야 한다.

제14장 헌법의 실시 및 개정

제170조 이 헌법에서 법률이란, 입법원을 통과하고 총통이 공포한 법률을 말한다.

제171조 ① 헌법에 저촉되는 법률은 무효하다.
② 법률과 헌법이 저촉되지 아니하나 이의가 있는 경우, 사법원이 해석한다.

제172조 헌법 또는 법률과 저촉되는 명령은 효력이 없다.

제173조 헌법의 해석은 사법원이 한다.

제174조 헌법의 개정은 마땅히 다음의 절차에 따라 실시한다.

1. 국민대회대표 총 인원수의 5분의 1의 발의와 3분의 2의 출석 및 출석대표 4분의 3의 찬성으로 개정한다.

2. 입법원 입법위원의 4분의 1의 제의와 4분의 3의 출석 및 출석위원 4분의 3의 결의로 헌법수정안을 정하며 국민대회의 국민투표에 제청한다. 이 헌법개정안은 마땅히 국민대회 개회 6개월 전에 공고하여야 한다.

제175조 ① 이 헌법에서 규정하는 사항에 있어 별도의 시행 절차 제정이 필요한 경우 법률로 정한다.

② 이 헌법의 시행 준비절차는 헌법을 제정하는 국민대회를 거쳐 결정한다.

중화민국 헌법 수정증보조문

전문

국가 통일 이전의 필요에 응하기 위해 헌법 제27조 제1항 제3관과 제174조 제1관의 규정에 따라 다음과 같은 조문을 본 헌법에 추가하거나 수정한다.

조문

제1조(인민의 직접 권리 행사) 중화민국 자유지구 선거인은 입법원에서 제출한 헌법 수정안과 영토 변경안에 대해 공고 후 반년이 지나면 3개월 내 투표에 응하여 표결하

고, 헌법 제4조와 제174조의 규정은 적용하지 않는다. 헌법 제25조에서 제34조까지와 제135조의 규정은, 적용을 중지한다.

제2조(총통) 총통과 부총통은 중화민국 자유지구의 전체 인민의 직접선거로 선출된다. 이 조항은 중화민국 85년 제9대 총통 및 부총통 선거부터 유효하다. 총통 및 부총통 후보는 한 조를 이루어 후보로 등록해야 한다. 가장 많이 득표한 후보 조가 당선된다. 해외에 거주하는 중화민국 자유지구 인민은 중화민국으로 귀국하여 선거권을 행사할 수 있으며 이는 법률로써 규정된다. 총통의 행정원 원장 임명 및 헌법에 따라 입법원의 동의가 필요하다고 규정된 인사에 대한 임면, 입법원 해산에 대해서는 행정원 원장의 서명이 요구되지 않는다. 헌법 제37조의 규정은 적용되지 않는다. 총통은 행정원 회의의 동의를 얻어 국가와 인민의 안전에 당면한 위험을 피하거나 중대한 재정적 및 경제적 위기에 대처하기 위해 긴급명령을 발포하고 필요한 조치를 할 수 있다. 이때 헌법 제43조의 제한은 적용되지 않는다. 그러나 긴급명령은 발포 10일 이내에 입법원의 추인을 얻어야 한다. 입법원이 긴급명령에 동의하

지 않는다면 그 긴급명령은 즉각 효력을 잃는다. 총통은 국가 안보와 관련된 중요 정책을 결정하기 위해 국가안보회의와 그에 소속된 국가안보국을 설치할 수 있다. 이 기관들은 법률로 규정된다.

총통은 입법원의 행정원 원장에 대한 불신임안이 가결되면 가결 후 10일 이내에 입법원 원장과 상의하여 입법원을 해산할 수 있다. 그러나 총통은 계엄령 발효 중이거나 긴급명령 발효 중에는 입법원을 해산할 수 없다. 입법원 해산 이후에는 60일 이내에 입법위원 선거가 치러져야 한다. 선거 결과가 확인된 이후 새로이 선출된 입법원은 확인 이후 10일 이내에 스스로 소집하며, 이때 선출된 입법위원의 임기는 소집일부터 시작된다. 총통과 부총통의 임기는 4년이다. 총통과 부총통은 한 번만 연임할 수 있으며 헌법 제47조는 적용되지 않는다. 부총통이 궐위 상태일 때 총통은 3개월 이내에 부총통 후보를 지명하고, 입법원은 이에 대해서 선거를 치러 부총통을 선출하며, 이때 부총통으로 선출된 자는 전임자의 잔여 임기를 수행한다.

총통과 부총통이 모두 궐위 상태일 때에는 행정원 원장이 그 직권을 대행하며 본 조문 제1문단의 규정에 의거 해서

총통 및 부총통 보궐선거를 치른다. 새 총통과 새 부총통은 이 조문 제1문단에 따라 선출되어 각자 전임자의 잔여 임기를 수행하며, 헌법 49조의 관련 규정은 적용되지 않는다.

총통과 부총통의 파면안은 전체 입법위원의 4분의 1의 동의로 발의되고 전체 입법위원의 3분의 2의 동의를 얻어 제출되며, 이후 중화민국 자유지구 총유권자 중 과반수가 투표하여 그 가운데 과반수가 동의한다면 즉시 통과된다.

총통이나 부총통의 탄핵안은 입법원이 제출하고 사법원 대법관의 심리를 요청하여 헌법재판을 거쳐 인용되어야 한다. 인용되는 경우 피탄핵자는 즉각 해직된다.

제3조(행정원) 행정원 원장은 총통에 의해 임명된다. 행정원 원장이 사직하거나 궐위될 때, 새로이 행정원 원장이 총통에 의해 임명되기 전까지 행정원 부원장이 임시로 행정원 원장직을 대행한다. 헌법 제55조의 조항은 적용을 중지한다. 행정원은 다음과 같은 규정에 따라 입법원에 책임을 진다. 헌법 제57조의 조항은 적용을 중지한다.

1. 행정원은 그의 시정 방침과 시정 보고를 입법원에 제출할 책임이 있다. 입법원이 개회 중일 때에 입법위원은

행정원 원장과 행정원 각부 수장 및 행정원 산하 각 조직의 수장에게 질의할 수 있다.

2. 행정원이 입법원을 통과한 법률안, 예산안, 조약안에 대해 시행하기 어렵다고 판단한다면, 행정원은 통과된 법안이 행정원에 송부된 이후 총통의 재가를 얻어 10일 안에 입법원에 재의를 요구할 수 있다. 입법원은 재의가 요구된 법안이 입법원에 송부된 이후 15일 이내에 다시 의결해야 한다. 입법원이 휴회 기간일 때에는 입법원이 7일 이내에 다시 소집되어 회기가 재개된 이후 15일 이내에 의결해야 한다. 입법원이 이 기간 안에 의결하지 못했을 경우 법안은 무효가 된다. 입법위원 총원의 과반수가 법안에 동의하면 행정원 원장은 즉시 해당하는 법안을 수락해야 한다.

3. 입법원은 입법위원 총원의 3분의 1 이상의 서명을 얻어 행정원 원장에 대한 불신임안을 제출할 수 있다. 불신임안 제출 72시간 이후에 기명투표를 48시간 안에 실시해야 한다. 입법위원 총원의 과반수가 불신임안에 동의할 경우 행정원 원장은 10일 이내에 사직서를 제출해야 하며, 동시에 총통에게 입법원 해산을 요구해야 한다. 불신임안이 입법위원 총원의 과반수의 동의를 얻지 못할 경우

입법원은 동일 인물인 행정원 원장에 대해 불신임안을 1년 동안 제출할 수 없다. 국가기관의 직권과 설립 절차 및 총원 등은 법률에 따라 규정된다. 각 기관의 조직과 편제 및 총원은 전항의 법률에 의거해 정책과 업무에서 필요한 바에 따라 결정된다.

제4조(입법원) 제7대 입법원부터 입법원은 113명의 입법위원을 두고 그 임기는 4년으로 하며 임기는 재선거에 따라 갱신할 수 있다. 입법위원 선거는 다음 조항에 따라 각 위원의 임기가 만료되기 전 3개월 내에 완료되어야 하며, 헌법 제64조와 헌법 제65조의 조항의 제한을 받지 않는다.

1. 자유지구 직할시, 현 및 시에서 73명을 선출하되 모든 현과 시에서 최소 1명이 선출되어야 한다.
2. 자유지구 평지원주민과 산지원주민 사이에서 각각 3명을 선출한다.
3. 전지역 단일선거구 및 국외 거주 유권자 사이에서 34명을 선출한다.

전항 제1관에 의거해 규정된 의석은 각 직할시, 현, 시의 인구 비례에 따라 선출되어야 하며 각 직할시, 현, 시 안에서 그에 대해 배정된 의석 수와 동일하게 선거구를 나누어야 한다. 전항 제3관에 의거해 규정된 의석은 각 정당에서 제출한 명단에 대해 각 정당이 획득한 투표가 총투표의 5%를 넘을 경우 득표 비율에 맞추어 분배하며, 각 정당이 제출한 명단에 따라 당선된 여성 입법위원은 그 명단에서 당선된 입법위원 총원의 2분의 1 이하가 되어서는 아니 된다.
입법원이 매해 소집될 때 입법원은 총통으로부터 국가 정세에 대한 보고를 청취할 수 있다.
총통이 입법원을 해산한 이후 새로이 선출된 입법위원이 취임하기 이전까지 입법원은 휴회 기간인 것으로 간주한다. 고유한 강역에 따라 결정된 중화민국의 영토는 입법위원 총원 중 4분의 1 이상이 발의하여 출석한 입법위원 총원의 4분의 3의 동의를 얻은 후, 영토 변경안을 제출하여 6개월간의 공고를 거쳐 중화민국 자유지구 유권자를 대상으로 국민투표를 실시해 유효표 중 과반수의 동의를 얻지 않으면 변경될 수 없다.
총통이 입법원을 해산한 이후 긴급명령을 발포하는 경우 입법원은 3일 안에 소집되어 회기가 시작된 이후 7일 안에 그 긴급명령의 추인을 위한 투표를 해야 한다. 그러나 긴급명령이 입법위원이 새로이 선출된 이후에 발포된다면 새로이 선출된 입법위원이 취임 이후에 그 긴급명령의 추인에 대한 투표를 해야 한다. 입법원이 그 긴급명령을 추인하지 않는다면 긴급명령은 즉각 효력을 잃는다.

총통이나 부총통의 탄핵은 입법위원 총원의 과반수 이상이 발의하여 입법위원 총원의 3분의 2 이상이 찬성해야 하며, 이후 사법원 대법관의 심리를 거쳐야 한다. 헌법 제90조와 헌법 제100조의 조항 및 헌법 수정증보조문 제7조의 제1관은 적용되지 않는다.

모든 입법위원은 현행범을 제외하고는 회기 중에 입법원의 허가를 얻지 않고 체포되거나 구금될 수 없다. 헌법 제74조의 규정은 적용을 중지한다.

제5조(사법원) 사법원은 15명의 대법관을 두고 그 중 1명을 사법원 원장, 다른 1명을 사법원 부원장으로 하며, 입법원의 동의를 얻어 총통이 지명한 인사를 임명한다. 이는 중화민국 92년부터 적용되며 헌법 제79조의 조항은 적용되지 않는다. 법관에서 사법원 대법관으로 임명되어 임기를 수행 중인 자를 제외한 자는 헌법 제81조의 조항과 법관의 종신 임기 및 급여 대우에 대한 관련 규제가 적용되

지 않는다. 각 사법원 대법관의 임기는 8년이고 임명된 날을 기점으로 하여 각각 독립적으로 임기를 수행하며 재임명될 수 없다. 그러나 사법원 원장 및 부원장인 대법관은 8년의 임기가 보장되지 않는다. 중화민국 92년에 임명된, 사법원 원장과 부원장을 포함한 8명의 사법원 대법관들은 4년 임기를 수행하고 그 외의 대법관은 8년의 임기를 수행하며, 전항의 임기 관련 규정은 적용되지 않는다. 사법원 대법관은 헌법 제78조에 따라 그들의 직무를 이행하는 것 이외에도 헌법 재판을 구성하여 총통 및 부총통 탄핵안을 심리하고 위헌정당해산심판을 할 수 있다. 정당은 그 목표와 활동이 중화민국의 존재나 그의 자유 및 민주적 헌법 질서를 위협할 때 헌법에 위배되는 것으로 간주된다. 사법원에서 제시한 연 예산안은 행정원에 의해 삭감되거나 제거되지 않는다. 그러나 행정원은 예산안에 의견을 첨부하고 중앙정부가 제시한 총예산안에 사법원의 예산안을 편입해 입법원에 제출하여 심의를 받는다.

제6조(고시원) 고시원은 국가 최고 고시기관으로 다음과 같은 사항을 관장하며 헌법 제83조의 규정은 적용되지 않는다.

1. 고시의 시행
2. 공무원에 대한 자격 심사, 공무원 신분 보장, 공무원의 사망에 대한 금전적 지원, 공무원 퇴직
3. 공무원 임면, 고과평가, 호봉, 승진, 부서이동, 표창에 대한 법적 사항
고시원은 고시원 원장과 부원장 및 약간의 고시위원을 두며, 모두 총통이 지명하고 입법원의 동의를 얻어 임명한다. 헌법 제84조의 규정은 적용되지 않는다. 헌법 제85조의 고시에 관련된 규정 중 아울러 성 구분에 따라 각각 인원수를 규정하며 지역에 따라 시험을 실시한다는 규정은 적용을 중지한다.

제7조(감찰원) 감찰원은 국가 최고 감찰기관으로 탄핵과 견책 및 감사를 하고 헌법 제90조와 헌법 제94조의 동의권 관련 규정이 적용되지 않는다. 감찰원은 1명의 감찰원 원장과 1명의 부원장을 포함한 29명의 감찰위원을 두며 모두 6년의 임기를 수행한다. 모든 감찰위원은 총통이 지명하고 입법원의 동의를 얻어 총통이 임명한다. 헌법 제91조부터 제93조의 규정은 그 적용을 중지한다. 감찰원은 중앙 및 지방 공무원과 사법원 및 고시원 공무원에 대한

탄핵안을 감찰위원 2명 이상의 동의를 얻어 발의할 수 있고 9인 이상의 감찰위원의 심사를 거치며 헌법 제98조의 제한을 받지 않는다. 감찰원이 직무유기와 위법을 이유로 감찰위원을 탄핵하고자 할 경우에는 헌법 95조, 헌법 97조 제2항과 전항의 규정이 적용된다. 감찰위원은 당파를 초월하여 독립적으로 자신의 권한을 행사하고 법에 따라 책임을 질 수 있는 자여야 한다. 헌법 제101조와 제102조의 규정은 그 적용을 중지한다.

제8조(대우 조정) 입법위원의 보수와 대우는 법률에 따라 결정된다. 일반적인 연간 조정을 제외한 개인에 대한 보수 인상 혹은 대우에 대한 규정은 차기 입법원에 적용된다.

제9조(성 및 현의 자치) 각 성과 현의 지방제도는 다음과 같은 규정을 포함하고 이는 법률로 정해지며, 헌법 제108조 제1문단 제1관, 헌법 제109조, 헌법 제112조에서 헌법 제115조, 헌법 제122조의 제한을 받지 않는다.
1. 성은 성 정부를 설치하고 9명의 위원을 두며 그 중 한 명을 주석으로 한다. 모든 위원은 행정원 원장이 지명하며 총통이 임명한다.

2. 성은 성 자의회(자문의회)를 설치하고 약간의 자의회 의원을 두며, 모든 의원은 행정원 원장이 지명하며 총통이 임명한다.

3. 현은 현 의회를 가지고 해당 의회의 의원은 해당 현 주민의 선거로 선출된다.

4. 현에 속하는 입법권은 해당 현의 의회가 행사한다.

5. 현은 현 정부를 설치하고 한 명의 현장을 두며, 현장은 현 주민의 선거로 선출된다.

6. 중앙정부와 성 정부 및 현 정부의 관계.

7. 성은 행정원의 명령을 실행하고 성에 속한 현들의 자치 사무를 감독한다.

타이완 성 정부의 기능과 업무 및 조직의 변경은 법률로 규정된다.

제10조(기본국책) 국가는 과학과 기술의 발전을 장려하고 산업 고도화를 촉진하며 농업 및 어업의 현대화를 주도하고 수자원의 개발 및 이용을 중시하며 국제적 경제 협력을 강화해야 한다.

환경 및 생태 보호는 경제 및 기술 발전과 동등하게 고려되어야 한다.

국가는 인민이 운영하는 중소기업의 생존과 발전을 부조하고 보호해야 한다.
국가는 공영 금융기구를 기업 경영의 원칙에 따라 관리해야 한다. 공영 금융기구의 관리, 인사, 예산, 결산 및 감사는 법률에 따라 규정된다.
국가는 공공 건강보험을 주도하고 현대 의학과 전통 의학의 연구 개발을 촉진해야 한다.
국가는 여성 인격의 존엄을 유지 및 보호하고 인신을 보호하며, 성차별을 해소하고, 양성의 지위의 실질적 평등을 촉진한다.
국가는 신체장애인과 정신장애인의 보험과 의료 및 장애물 없는 생활 환경(배리어 프리), 교육과 훈련, 직업 지도 및 일상 생활에서의 원조를 보장해야 하며, 그들의 자립과 발전을 부조해야 한다.
국가는 사회 구호와 사회 복지 및 국민 취업, 사회 보험, 의료 및 보건, 그 외 사회 복지를 중시해야 한다. 사회 구호와 사회 복지 및 국민 취업에 우선적으로 지출이 편성되어야 한다.
국가는 군인이 사회에 기여하는 바를 고려해 군인을 존중하고, 퇴역 군인의 취학과 취업, 의료, 생계를 보장한다.

교육, 과학, 문학, 특히 국민 교육에 경비가 우선적으로 편성되어야 하며, 이는 헌법 제164조의 제한을 받지 않는다. 국가는 문화적 다원주의를 긍정하고 원주민 언어와 문화를 유지하고 발전하는 데 적극 노력한다.
국가는 민족의 성원에 의거하여 원주민의 지위와 정치 참여를 보장해야 한다. 국가는 또한 원주민 교육, 문화, 교통, 수자원 보호, 의료와 보건, 경제적 활동, 토지, 사회복지의 부조와 발전을 보장해야 하며, 이를 위한 수단은 법률로 정한다. 같은 보호와 부조는 펑후, 진먼, 마쭈 지역 주민들도 누릴 수 있어야 한다.
국가는 해외에 거주하는 국민의 참정권을 보장하도록 노력해야 한다.

제12조(헌법 수정안 제출) 헌법 수정안은 입법위원 총원의 4분의 1이 발의하여, 입법위원 총원의 4분의 3 이상이 출석한 가운데 출석한 입법위원의 4분의 3 이상이 동의하여 제출되며, 이는 반년간의 공고를 거쳐 중화민국 자유지구 유권자의 투표를 실시해 유권자 총원 과반수의 동의를 얻어 통과된다. 헌법 제174조의 규정은 적용되지 않는다.

동원감란시기임시조관

이에 헌법 제174조 제1항의 절차에 의거하여, 동원감란시기임시조관을 왼쪽과 같이 제정한다.

제1조(총통 긴급처분권) 총통은 동원감란시기에, 국가와 인민의 긴급한 위난을 회피하거나 재정경제 상의 중대한 변고에 대응하기 위하여 행정원 회의의 의결을 거쳐 긴급처분을 행사할 수 있다. 이는 헌법 제39조 또는 제43조에 규정된 절차의 제한을 받지 아니한다.

제2조(입법원 긴급처분의 변경 또는 폐지권) 전항의 긴급처분은 입법원이 헌법 제57조 제2항의 규정에 따른

절차로 변경하거나 폐지할 수 있다.

제3조(총통, 부총통의 연선연임 가능) 동원감란시기의 총통과 부총통은 연선 연임이 가능하며, 헌법 제47조의 연임 1회의 제한을 받지 않는다.

제4조(동원감란기구의 설치) 동원감란시기에 본 헌정 체제는 총통에게 권한을 위임하여 동원감란기구를 설치함으로써, 동원감란에 관련된 방침을 결정하고, 전투 구역의 정무를 처리할 수 있다.

제5조(중앙행정인사기구조직의 조정) 총통은 동원감란의 필요에 적응하기 위하여, 중앙정부의 행정기구 및 인사기구와 그 조직을 조정할 수 있다.

제6조(중앙민의대표의 증·보선) 동원감란시기에 총통은 아래의 규정에 의거하여 중앙민의대표기구를 충실하게 하기 위한 법률을 개정 반포한다. 이는 헌법 제26조, 제64조와 제91조의 제한을 받지 아니한다.

(1) 자유지구의 경우 중앙민의대표의 인원수를 늘리고, 정기적으로 선거하며, 국외거주 국민이 선출한 입법위원과 감찰위원은 사실상 선거자로 처리하기 어려우니 총통이 인선방법을 개정하여야 한다.
(2) 제1차 중앙민의대표는 전국 국민들의 선거를 거쳐 뽑힌 바, 법에 따라 직권을 행사할 수 있고, 증선이나 보선일 때도 역시 그러하다.
(3) 증가한 인원수로 선출된 중앙민의대표는 제1차 중앙민의대표와 함께 법에 따라 직권을 행사한다.
증가한 인원수로 선출된 국민대회 대표는, 6년마다 다시 뽑으며, 입법위원은 3년마다, 감찰위원은 6년마다 다시 뽑는다.

제7조(법안의 창제, 복결의 제정) 동원감란시기에 국민대회는 법안을 제정하고, 중앙법률원칙을 창제하고 중앙법률을 복결할 수 있다. 이는 헌법 제27조 제2항의 제한을 받지 아니한다.

제8조(국민대회 임시회의 소집) 감란시기에 총통이 법

안을 만들거나 법안을 복결할 때 필요하다고 판단하면, 국민대회 임시회를 소집하여 토론할 수 있다.

제9조(헌정연구기구의 설치) 국민대회의 폐회 기간에는 연구기구를 설치하여, 헌정 유관 문제를 연구, 토론한다.

제10조(동원감란시기의 종결) 동원감란시기의 종결은, 총통이 선고한다.

제11조(임시조관의 수정, 폐지) 임시조관의 수정이나 폐지는, 국민대회의 결정에 따른다.

중국문명사와전통문화

발행 2024년 1월 2일

지은이 대한아시아지역학연구회
발행처 주식회사 부크크
출판등록 2014.07.15. (제2014-16호)
발행인 한건희
주소 서울특별시 금천구 가산디지털1로 119 SK트윈타워 A동 305호
이메일 info@bookk.co.kr
전화번호 1670-8316
ISBN 979-11-410-6324-5

값 20,000원